L'EXTRÊME DROITE EN EUROPE

Jean-Guy Prévost

L'extrême droite en Europe

France, Autriche, Italie

FIDES

Conception graphique : Gianni Caccia
Mise en pages : Bruno Lamoureux

Catalogage avant publication de la Bibliothèque nationale du Canada

Prévost, Jean-Guy, 1955-
L'extrême droite en Europe: France, Autriche, Italie

(Points chauds)
Comprend des réf. bibliogr.

ISBN 2-7621-2599-5

1. Extrême droite – Europe. 2. Fascisme – Europe. 3. Extrême droite – France.
4. Extrême droite – Autriche. 5. Extrême droite – Italie.
I. Titre. II. Collection : Points chauds (Saint-Laurent, Montréal, Québec).

JN50.P73 2004 324.2'33'094 C2004-940513-6

Dépôt légal: 2e trimestre 2004
Bibliothèque nationale du Québec

Les Éditions Fides remercient de leur soutien financier le ministère du Patrimoine canadien, le Conseil des Arts du Canada et la Société de développement des entreprises culturelles du Québec (SODEC). Les Éditions Fides bénéficient du Programme de crédit d'impôt pour l'édition de livres du Gouvernement du Québec, géré par la SODEC.

IMPRIMÉ AU CANADA EN AVRIL 2004

REMERCIEMENTS

Louis-Philippe Ouimet et Jean-Pierre Couture, tous deux étudiants à l'UQAM, m'ont aidé, le premier à rassembler les données sur l'Autriche, le second à prendre connaissance des travaux du *Zentrums für Angewandte Politikforschung* de Vienne. Mes collègues Jean-Pierre Beaud et Marc Chevrier, de l'UQAM, et mon ami Enrico Castelli Gattinara ont bien voulu lire tout ou partie du manuscrit et me faire part de leurs commentaires. Merci à mon collègue Christian Deblock pour m'avoir encouragé dans ce projet. Merci enfin au Service du prêt entre bibliothèques de l'UQAM pour son travail toujours diligent.

Jean-Guy Prévost

INTRODUCTION

Au tournant du 21e siècle, plus de 50 ans après la défaite de l'Allemagne nazie et de l'Italie fasciste, des bannières que l'on croyait remisées pour de bon sont à nouveau déployées. En France, le succès inattendu de Jean-Marie Le Pen au premier tour de l'élection présidentielle du printemps 2002, avec près de 5 millions de voix (16,86 % des suffrages exprimés), provoquait un déferlement de manifestations visant à « sauver la démocratie » et à « barrer la route au fascisme ». Même si Le Pen ne se réclamait ouvertement ni du fascisme ni du nazisme, plusieurs de ses adversaires n'hésitèrent pas, dans leurs discours ou sur leurs affiches, à le comparer à Hitler : ils en voulaient pour preuves la présence au sein ou aux marges de son parti, le Front national (FN), d'une poignée d'anciens partisans de la collaboration avec l'occupant allemand et de militants bruyamment néo-fascistes, ou encore sa célèbre « petite phrase » sur le génocide des juifs, qualifié par lui de « détail de l'histoire » à l'occasion d'un entretien radiophonique en 1987. Le second tour devait toutefois voir la progression de Le Pen limitée, les quelque 720 600 voix grugées par lui entre les deux tours équivalant à peu près au nombre de celles (667 000) qui s'étaient portées lors du premier tour sur son ancien bras droit devenu ennemi, Bruno Mégret, l'autre candidat d'extrême droite. Lors des élections législatives tenues dans la foulée, l'appui au FN tomba à 11 % et il ne put faire entrer aucun député à l'Assemblée nationale. Deux à trois ans plus tôt, en Autriche, l'inclusion du Parti de la liberté (FPÖ) de Jörg Haider dans un gouvernement de coalition dirigé par les conservateurs du Parti populaire, à la suite des élections générales de 1999 qui voyaient chacune des ces deux formations obtenir 27 % des suffrages, devait déclencher une tempête pan-européenne. À Haider et à son parti, on reprochait, comme à Le Pen et au FN, leur hostilité déclarée à l'immigration, mais aussi et surtout une attitude jugée complaisante à l'égard du nazisme et du génocide des Juifs. Pendant près d'une année, les autres pays de l'Union européenne imposèrent des sanctions à l'Autriche et l'on manifesta dans les rues, à l'intérieur comme à l'extérieur du pays, contre « le retour du fascisme ». Les élections de novembre 2002 devaient marquer la fin de cette expérience, avec une chute brutale de l'appui au FPÖ, qui perdit près des deux tiers des voix obtenues trois ans plus tôt et fut ramené lui aussi à 10 %. Entre-temps, les élections italiennes de mai 2001 donnaient une majorité absolue de sièges à la coalition dite de centre droit dirigée par Silvio Berlusconi, auquel étaient alliés, comme en 1994, l'« ex-néo-fasciste » Gianfranco Fini et son *Alleanza Nazionale* (AN) et l'« ex-séparatiste » Umberto Bossi, leader de la *Lega Nord* (LN). Chacun des partenaires de cette coalition offrait de quoi susciter l'inquiétude. Les soi-disant « post-fascistes » s'étaient-ils vraiment convertis aux valeurs et aux usages de la démocratie ? L'hostilité de la Ligue et de son chef Bossi à l'immigration était-elle moindre que celle d'un Haider ou d'un Le Pen ? Et en dépit du fait que Berlusconi n'ait jamais lui-même revendiqué une quelconque parenté avec le passé autoritaire de l'Italie, la puissance de son empire économique et médiatique et son intention proclamée de « rétablir l'équilibre » entre magistrats et élus du peuple en faveur de ces derniers ne confirmaient-elles pas les pires craintes de ses adversaires pour la démocratie italienne ? Les nombreux manifestants qui, à l'automne 2002, se mobilisèrent contre le nouveau gouvernement n'hésitèrent pas en tout cas à représenter Berlusconi en nouveau Mussolini[1].

Ces succès électoraux récents de partis que l'on s'entend pour situer assez loin à la droite du spectre politique — on pourrait évoquer également la croissance du *Vlaams Blok* dans la partie flamande de la Belgique (de 10,3 [1991] à 12,3 % [1995], puis à 15,5 % [1999] et à 18,1 % [2003]), la percée de la liste Pim Fortuyn aux Pays-Bas (un étonnant 17 % en 2002 ; privée de son chef assassiné, elle tombait toutefois à 5,7 % un an plus tard), celles du Parti du peuple au Danemark (7,4 % en 1998, puis 12 % en 2001), du Parti du progrès en Norvège (15,3 % en 1997 et 14,7 % en 2001) ou de l'Union démocratique du centre en Suisse (passée du statut de tiers parti [avec 14,9 % en 1995] à celui de premier parti fédéral, en 2003, avec 26,6 % des voix et 55 sièges [contre 23,2 % et 52 sièges aux sociaux-démocrates]) — constituent un phénomène significatif et relativement inattendu. En effet, les forces politiques que l'on désigne communément comme d'extrême droite avaient été largement contenues depuis 1945 : la défaite des forces de l'Axe et la réprobation qui s'attachait à tout ce qui ressemblait de près ou de loin à du fascisme

1. On doit sans doute la dénonciation la plus apocalyptique au philosophe Giorgio Agamben. Dans un article intitulé « Le pire des régimes » et rédigé en 1994 (donc contemporain du premier gouvernement Berlusconi), Agamben écrivait que sous celui-ci, « tout, littéralement tout, redeviendrait possible, y compris les camps de concentration ». *Le Monde* a reproduit cet article dans son édition des 24/25 mars 2002, ce qui indique bien que l'auteur persiste et signe.

les vouaient à la marginalisation politique. En France, l'histoire de l'extrême droite après la Deuxième Guerre mondiale en est une de défaites successives et de combats fratricides : en dépit de la « chance historique » que représentaient pour elle la guerre d'Algérie et la percée « poujadiste » en 1956, son soutien électoral oscille entre la modestie et l'insignifiance jusqu'aux élections européennes de 1984, qui voient l'émergence électorale du Front national, dirigé par Jean-Marie Le Pen. En Italie, le vote pour le Mouvement social italien (MSI), parti ouvertement « néo-fasciste » et qui, pour cette raison, sera exclu de « l'arc constitutionnel », est plus important (il oscille généralement entre 5 % et 10 %), mais, à l'échelle nationale du moins, il ne dépassera jamais cette borne supérieure. Il ne la franchira en fait qu'à partir de 1994, lorsque le MSI sera devenu l'Alliance nationale, sous la direction de Gianfranco Fini, et s'intégrera à la coalition menée par Silvio Berlusconi. En Autriche, le vote pour le Parti de la liberté est lui aussi contenu sous le seuil des 10 % tout au long des décennies 1950 à 1980 ; il ne décollera vraiment qu'à partir de 1990, à la suite de l'arrivée d'un nouveau et jeune chef, Jörg Haider, qui en radicalisera et en modernisera l'image.

Comment rendre compte de cette soudaine et indéniable fortune électorale des partis d'extrême droite ? Répondre à cette question suppose qu'au préalable, on fasse un certain nombre de choix. D'abord, il est nécessaire de situer le phénomène sur un plan historique. Assiste-t-on à un « retour du fascisme », comme le prétendent plusieurs des adversaires de ces partis ? Un article de la *Monthly Review* paru en 2000 et consacré à la situation autrichienne s'intitulait justement « The Threat of Fascism in Austria » et évoquait le risque d'une propagation de celui-ci à travers l'Europe et même au-delà[2].

2. Rick KUHN. « The Threat of Fascism in Austria », *Monthly Review*, vol. 52, n° 2, juin 2000, p. 21-35.

Les défenseurs de cette thèse appuient leur analyse sur les liens bien réels que le FN, le FPÖ et le MSI entretiennent avec quelques figures du passé et sur les parallèles qu'on peut établir entre certains aspects de leurs discours et certains des thèmes classiquement identifiés aux fascismes de l'entre-deux-guerres. Le terme « néo-fascisme », utilisé par plusieurs pour décrire ces partis — et parfois revendiqué par eux, comme dans le cas du MSI italien jusqu'au milieu des années 1990 —, renvoie à cette perspective : le phénomène en question serait essentiellement une résurgence de l'ancien, la répétition de ce qu'on a déjà connu. D'autres auteurs, introduisant un dosage de continuité et de discontinuité, décrivent la période récente comme la « troisième vague » de l'extrême droite depuis l'après-guerre — les deux premières correspondant au néo-fascisme de l'immédiat après-guerre et au radicalisme de droite de la décennie 1955-1965[3]. En d'autres termes, les partis d'extrême droite qui ont connu des succès électoraux notables depuis dix, quinze ou vingt ans — au premier chef le Parti de la liberté en Autriche, le Front national en France et, de façon plus complexe en raison de leur évolution respective, l'Alliance nationale et la Ligue du Nord en Italie — doivent-ils être considérés comme le prolongement, la résurgence ou l'équivalent des mouvements et partis fascistes ou nazis de l'entre-deux-guerres ou comme des créatures pour l'essentiel *sui generis* ? Il convient par ailleurs de situer le phénomène sur un plan spatial ou géographique. Doit-on l'envisager d'abord à l'échelle européenne, voire internationale ? Peut-on l'apparenter à d'autres phénomènes comme la montée des forces ethno-nationalistes dans les pays de l'ancien bloc communiste, le poids croissant qu'exerce l'aile droite sur le Parti républicain aux États-Unis, ou

---

3. Voir par exemple Caspar Eric MUDDE, *The Extreme Right Party Family. An Ideological Approach*, thèse de doctorat, Université de Leyden, 1998.

encore l'émergence de nouveaux partis comme le *Reform Party* au Canada ou l'Action démocratique au Québec[4] et privilégier dans l'explication les facteurs globaux et communs aux pays concernés — par exemple, l'immigration et les problèmes associés à sa gestion, la résurgence d'un nationalisme exacerbé ou encore la « crise de l'État-providence » ? Doit-on au contraire porter son attention sur les spécificités de chaque système politique ainsi que sur le comportement et les interactions des acteurs politiques ? En somme, quels sont les aspects à retenir — en langage méthodologique : les variables — qui peuvent le mieux rendre compte des succès — et dans certains cas, des déboires — de ces partis d'extrême droite, ou encore qui permettent d'offrir de leur trajectoire le récit le plus intelligible ? La question du vocabulaire utilisé pour décrire ces phénomènes, enfin, doit être abordée. Contrairement à d'autres disciplines ou domaines du savoir, où les concepts ont souvent un caractère conventionnel, les sciences sociales et particulièrement la science politique doivent recourir, dans leur effort de description et d'explication, au langage qu'utilisent les acteurs eux-mêmes. Quel usage fera-t-on ici des termes lourdement chargés d'histoire auxquels on doit presque inévitablement avoir recours pour parler du sujet qui nous occupe : droite, gauche, extrémisme, etc., et qui sont d'abord des concepts *pratiques*, c'est-à-dire des mots utilisés par les acteurs politiques pour s'orienter, pour décrire et justifier leur action ou encore pour mobiliser leurs alliés et dénoncer leurs adversaires ? Pouvons-nous faire un usage *analytique* de ces concepts ou sont-ils irré-

4. Au moment où j'écris ces lignes, je découvre justement une analyse du phénomène adéquiste qui, tout à la fois, apparente l'Action démocratique à « la montée de l'extrême-droite » et celle-ci à un retour des « conditions ayant mené à la constitution de régimes fascistes ». Voir Jean-Philippe WARREN, « ADQ : une révolution du "sur-bon sens" », *Argument*, vol. 5, n° 2, 2003, p. 66-67.

médiablement « instrumentalisés » et rendus intellectuellement non opératoires ?

Fascisme, extrême droite et démocratie : l'ancien et le nouveau

L'idée selon laquelle les partis d'extrême droite contemporains ne seraient que le prolongement, la résurgence ou l'équivalent des formations fasciste ou nazie de l'entre-deux-guerres se heurte à plusieurs objections. La plus décisive tient à la *nature* ou à la *structure* de ces partis. Les partis fascistes de l'entre-deux-guerres, par exemple les Faisceaux de combat de Mussolini ou le Parti national-socialiste des travailleurs de Hitler, étaient des partis politiques *armés*. Il était en effet courant pour les partis politiques, dans les années 1920 et 1930, de se doubler de milices : les sections d'assaut (SA) allemandes et les chemises noires fascistes sont les plus connues, mais elles n'étaient pas uniques. À partir du moment où un parti se dotait d'une telle force, il était évidemment plus prudent pour les autres de pouvoir leur opposer une force égale, ce que feront par exemple les communistes et les socialistes allemands. Le port de l'uniforme était l'expression vestimentaire de cette conception militaire du parti. Les fascistes italiens et les nazis ont systématiquement recouru aux tactiques extra-parlementaires et à la violence pour accéder au pouvoir[5]. Contrairement à ce qui est souvent rapporté, ni Mussolini ni Hitler ne furent portés au pouvoir par

---

5. Cela est vrai aussi d'autres forces politiques, par exemple les diverses ligues (souvent philo-fascistes) ou les monarchistes de l'*Action française*. Les partis communistes, bien sûr, disposaient tous, conformément aux statuts de l'Internationale communiste, d'un appareil clandestin, en vue d'actions terroristes ou de guérilla. La description des années de l'entre-deux-guerres comme celles d'une « guerre civile européenne » apparaît tout à fait adéquate (quoi que l'on pense de certaines autres thèses de l'historien allemand Ernst Nolte, à qui l'on doit la paternité de l'expression). Sur la milice comme élément de base des partis fascistes, voir Maurice DUVERGER, *Les partis politiques*, Paris, Armand Colin, 1971, p. 86-91.

une victoire électorale. Aux élections italiennes de 1922, après deux années de violence qui avaient vu leurs milices se déchaîner contre les partis de gauche et les syndicats, les fascistes n'avaient réussi à faire élire que 35 députés sur 535. C'est à la suite de la « marche sur Rome » de ces milices fascistes, opération destinée à intimider leurs adversaires tout autant que les autorités en place, que le roi demanda à Mussolini de devenir président du Conseil et de former un cabinet. Après avoir pris le contrôle de la police et après avoir étatisé la branche armée du parti (et donc transféré les coûts d'entretien de celle-ci à l'ensemble des contribuables italiens), les fascistes obtinrent certes une majorité aux élections de 1924, mais celles-ci se sont déroulées dans un tel climat de violence qu'on ne saurait les considérer comme libres. De son côté, le Parti nazi obtint 33 % des suffrages aux élections de novembre 1932, en recul par rapport aux élections tenues quelques mois plus tôt, en juillet (il avait alors obtenu 37 %). C'est la décision du président Hindenburg de confier la chancellerie à Hitler en janvier 1933, décision à laquelle la constitution allemande ne l'obligeait pas, qui marqua l'arrivée au pouvoir des nazis : les « chemises brunes » se lancèrent immédiatement dans la chasse aux opposants, qu'ils terrorisèrent, assassinèrent ou enfermèrent dans des camps de concentration improvisés. Lors des élections de mars 1933, qui se tinrent dans un climat de terreur, les nazis n'obtinrent malgré tout que 44 % des voix. Dans les mois qui suivirent, tous les autres partis politiques furent dissous (y compris les partis nationalistes grâce à l'appui desquels les nazis devaient leur majorité parlementaire).

Les partis d'extrême droite contemporains sont, par contraste, des partis *électoralistes* : leur activité est structurée autour de la compétition électorale et non des manifestations de rue ou de l'entraînement paramilitaire. Même si on y trouve des services d'ordre souvent musclés et un comportement « machiste » ou parfois violent (caractéristiques que l'on ne retrouve pas à gauche, sauf dans les franges les plus radicales de l'extrême gauche « antifasciste »), rien de cela n'est comparable à la situation de l'entre-deux-guerres. Il existe certes de nos jours des milices paramilitaires néo-nazies (par exemple aux États-Unis) et des groupuscules terroristes d'extrême droite ; mais, précisément, ces organisations ne se définissent pas par leurs pratiques électoralistes et, de la même façon que les Brigades rouges ou les terroristes d'Action directe ne se confondaient pas avec les partis communistes italien et français, elles sont d'une autre nature que les partis d'extrême droite évoluant dans l'arène électorale.

Cette différence entre des types de partis (partis armés/partis électoralistes) correspond évidemment à une différence de contexte politique. En fait, si l'on peut établir un parallèle entre les années qui ont vu la montée des partis et mouvements fascistes et autoritaires et la fin du 20e siècle, celui-ci se situe à un niveau structurel, dans le fait que chacune de ces conjonctures suscite des questionnements et des interrogations quant aux « métamorphoses du gouvernement représentatif[6] ». L'extension spectaculaire du suffrage au tournant du 20e siècle, les plaidoyers en faveur de la représentation proportionnelle (dans certains cas, son instauration), l'apparition de grands partis structurés de manière à encadrer des centaines de milliers de membres, le remplacement progressif des élites politiques traditionnelles par des « hommes de partis » au sens moderne du terme, le déplacement de la discussion depuis le parlement vers les états-majors de ces partis, tous ces éléments caractéristiques de ce que le politologue Bernard

6. Selon l'expression de Bernard MANIN, *Principes du gouvernement représentatif*, Paris, Flammarion, 1996.

Manin appelle le passage de la démocratie parlementaire à la « démocratie de partis » ont provoqué, en Italie, en France, en Allemagne et ailleurs, de très vives réactions[7]. La démocratie parlementaire ne faisait plus, dans les années 1930, l'objet d'un consensus : ses adversaires se recrutaient à gauche comme à droite. Les partis fascistes de l'entre-deux-guerres ont pu bénéficier en fait d'une tradition de critique de la démocratie déjà vieille de deux ou trois décennies : à gauche comme à droite, on cherchait une solution de remplacement à ce qui était décrit comme un régime décadent ; le mot dictature n'était absolument pas un tabou (les communistes, par exemple, prônaient la « dictature du prolétariat ») non plus que l'élimination physique des adversaires[8]. Mais alors que pendant l'entre-deux-guerre les auteurs fascistes, nazis et apparentés défendaient ouvertement et franchement les idées de supériorité raciale et de hiérarchie naturelle, arguaient de la supériorité fonctionnelle de la dictature sur les verbiages de la démocratie parlementaire et vantaient le caractère prophylactique de la guerre, une telle constellation idéologique ne se retrouve plus aujourd'hui qu'au sein de groupuscules nostalgiques et marginaux.

De façon comparable, on peut situer la montée des partis d'extrême droite contemporains sur la toile de fond constituée par les transformations plus récentes de la démocratie représentative : personnalisation du choix électoral, « volatilité » accrue de l'électeur, place prépondérante de « l'image » par rapport aux programmes (typiques de la démocratie de partis), déclin du parti de masse caractérisé par un membership militant au profit d'appareils définis avant tout par leur voca-

7. *Ibid.*, p. 264-78.

8. Sur le rôle de la Première Guerre mondiale dans la « brutalisation du champ politique », voir George L. MOSSE, *De la Grande Guerre au totalitarisme. La brutalisation des sociétés européennes*, Paris, Hachette, 1999.

tion strictement électorale, indifférenciation progressive des partis en quête de « l'électeur médian », montée en puissance des médias et des experts en communication, découplage entre l'opinion publique et l'expression électorale, poids accru des centres de décision — G8, FMI, Banque mondiale, Commission européenne, etc. — échappant aux contrôles démocratiques traditionnels, caractéristiques de ce que Manin désigne comme « démocratie du public[9] ». Mais aujourd'hui, au contraire des années 1930, le mot « démocratie » fait consensus, comme plusieurs des institutions auxquelles il renvoie : on ne peut plus espérer faire des gains politiques en se déclarant hostile à la démocratie, parce qu'il y a désormais un attachement très fort au droit de vote, à la représentation parlementaire, au pluralisme politique et aux libertés individuelles. Aussi, aucun des partis importants de l'extrême droite actuelle ne remet-il en cause, dans son discours, le bien-fondé de la démocratie (ceux qui le font — et se présentent le plus souvent franchement comme néo-nazis ou néo-fascistes — demeurent des groupuscules qui végètent dans la marginalité). Ce que ces nouveaux partis d'extrême droite contestent souvent en revanche, c'est ce qu'ils appellent le « système », qu'ils décrivent le plus souvent comme une confiscation de la démocratie par les appareils politiques en place. Les propositions qu'ils font — recours au référendum, mécanismes de révocabilité des élus — vont dans le sens de ce qu'on appelle la « démocratie directe », se veulent des réponses à ce que d'aucuns désignent comme le « déficit démocratique » et correspondent en fait souvent, pour simplistes qu'elles puissent apparaître, à des revendications traditionnellement

9. *Ibid.*, p. 279-302. Voir aussi, pour une discussion subtile des effets démocratiques des mêmes phénomènes, le livre-entretien du sociologue germano-britannique Ralf DAHRENDORF, *Dopo la democrazia*, Bari, Laterza, 2001.

associées à la « gauche ». Cette dimension « antisystémique » des partis d'extrême droite, avec ce qu'elle comporte d'ambiguïté (le « système » visé est-il le système démocratique [comme l'affirment leurs adversaires] ou l'état de corruption dans lequel il se trouve [comme eux-mêmes le prétendent] ?), amène certains auteurs à conclure au caractère antidémocratique de ces partis[10].

On peut bien sûr mettre en doute le respect de la démocratie proclamé par un Le Pen, un Haider, un Berlusconi, un Bossi ou un Fini et n'y lire que prudence tactique, voire contester la conception de la démocratie qu'ils mettent en avant en insistant sur leur méfiance à l'endroit du parlementarisme, du pluralisme et des partis politiques. Mais, comme on l'a dit plus haut, il existe un fort consensus au sein des populations des démocraties libérales autour d'acquis comme le droit de vote, la représentation parlementaire, le pluralisme politique et les libertés individuelles (d'expression, de pensée, de religion, etc.). On voit mal, dès lors, comment un gouvernement élu pourrait, à la manière de Mussolini ou de Hitler, interdire les partis d'opposition, ou encore un chef de l'État élu s'autoproclamer président à vie[11]. Cela dit, une bonne partie des débats au sein des pays démocratiques portent précisément sur la nature et l'étendue de la démocratie. Quel équilibre adopter entre la représentation adéquate de la diversité des opinions et la formation d'un gouvernement cohérent et capable de mettre en œuvre un programme distinctif sur lequel les électeurs pourront porter un jugement ? Les élus doivent-ils chercher à défendre le bien commun de la nation au mieux de leurs capacités ou représenter le plus

---

10. Voir par exemple Piero IGNAZI, *L'estrema destra in Europa*, Bologne, Mulino, 2000, p. 54.

11. Il n'est évidemment pas impossible que dans des pays privés de tradition démocratique, comme en Biélorussie, des phénomènes de ce genre puissent survenir.

fidèlement possible les préférences des électeurs qui les ont mandatés ? Quel équilibre établir entre, d'une part, les pouvoirs d'une majorité parlementaire et, d'autre part, la protection des droits des minorités ou l'intégrité des institutions ? Quelle place doivent tenir les mécanismes de consultation, par exemple le référendum ? Quelle est l'influence réelle des puissances d'argent, des groupes d'intérêts et des lobbies divers ? Il n'y a pas de réponses faciles ni tranchées à ces questions, que posent également et auxquelles apportent des réponses les partis d'extrême droite, mais ce n'est pas en qualifiant celles-ci de « populistes » qu'on les sortira de l'orbite démocratique.

La définition de ce qu'est « réellement » ou de ce que devrait être la démocratie est évidemment une entreprise difficile : certains auteurs estiment d'ailleurs que l'indétermination est une des caractéristiques fondamentales de la démocratie. On peut toutefois, pour faire simple, poser que les définitions de la démocratie, ou plus précisément les jugements qui nous conduisent à considérer comme « démocratique » telle position ou telle décision, peuvent s'ordonner suivant deux dimensions : l'une a trait aux formes et aux procédures suivant lesquelles les décisions sont prises, l'autre au contenu de ces décisions. La dimension formelle suppose que les décisions soient prises d'une manière qui respecte des procédures convenues au préalable et assure une prise en compte adéquate des préférences de la majorité. Toute décision qui se présenterait comme ne répondant qu'aux préférences d'une minorité, toute procédure de prise de décision ouvertement organisée de manière à ne prendre en compte que les préférences de la minorité (le régime d'apartheid sud-africain, par exemple), toute accession aux centres de la prise de décision par des moyens faisant douter de l'assentiment de la majorité (un coup d'État militaire, une élection vraisemblablement truquée) seraient immédiatement décrites comme non démocratiques. La concentration des moyens d'information soulève des enjeux de cet ordre — le cas Berlusconi étant probablement le plus spectaculaire à cet égard. La dimension substantielle, qui renvoie au contenu de la décision, suppose un jugement sur les fins que poursuit la communauté politique. Que des décisions comme celle d'exterminer ou de réduire en esclavage une partie de la population d'un pays soient prises de manière conforme à des lois et répondent aux préférences d'une majorité ne suffirait pas à les qualifier de démocratiques. Le caractère de telles décisions, l'inégalité qu'elles postulent nous paraissent tellement extrêmes qu'ils discréditent du coup la procédure qui y aurait conduit. L'égalité — on serait tenté de parler d'horizontalité par contraste avec la verticalité propre aux sociétés hiérarchiques d'Ancien Régime — apparaît donc dans les sociétés démocratiques non seulement comme une norme procédurale mais aussi comme une part de la substance qui nourrit nos jugements. En fait, l'idée de prépondérance de la majorité attachée à la dimension procédurale évoquée plus haut met elle-même en jeu la valeur d'égalité — puisque chaque individu est égal à chaque autre, puisque sa volonté jouit d'un poids égal à celle de tout autre, la majorité doit l'emporter. Une société où l'égalité sociale serait imposée par un despote éclairé — fût-ce sous la forme collective du parti d'avant-garde — ne nous apparaîtrait pas non plus, pour cette raison, démocratique. D'autres valeurs — l'autonomie, la liberté, notamment — semblent par ailleurs tout autant consubstantielles à notre idée de la démocratie et entretiennent elles-mêmes des rapports complexes avec l'égalité. La forme et le contenu, la procédure et les valeurs sont donc en démocratie impossibles à séparer complètement, bien que demeure évidemment une zone pour les arbitrages entre les deux — on se pliera volontiers (ou de mauvaise grâce) à une décision qui nous déplaît par respect de la procédure et/ou de la majorité, on acceptera une certaine dose d'autorité parce que le résultat escompté nous semble en fin de compte nettement préférable, on concevra que l'intensité des préférences des uns et des autres doit également entrer dans la formule visant à déterminer où loge la majorité. Le rétablissement ou le maintien de la peine de mort pour un certain nombre de crimes, conformément au vœu clairement exprimé par une majorité de l'électorat (à la suite d'un référendum, par exemple), peut nous apparaître inopportun, dangereux, voire franchement détestable ; il serait toutefois difficile de le qualifier de non démocratique ou d'anti-démocratique à partir du moment où l'on reconnaît aux opinions de nos concitoyens un poids égal aux nôtres[12]. On pourra peut-être à cette occasion vouloir opposer la démagogie à la « vraie » démocratie, mais la parenté des termes traduit ici l'impasse dans laquelle nous nous trouvons[13].

Contrairement aux partis fascistes et nazis qui refusaient expressément l'égalitarisme démocratique, les nouveaux partis d'extrême droite ont à cet égard une attitude plus difficile à définir. D'une part, ils évoluent dans le cadre des références et des paramètres de la démocratie, tant sur le plan de la forme que sur celui du contenu, même s'ils se situent clairement à l'extrémité du spectre politique. Le fait que ces partis jouent le jeu de la démocratie électorale n'est pas négligeable. En même temps, le discours « anti-systémique » dans lequel

---

12. Dans le cas où le système judiciaire apparaîtrait discriminatoire à l'endroit d'un groupe donné (il semble que ce soit le cas dans plusieurs États américains, par exemple), la violation de la valeur d'égalité pourrait conduire toutefois à ne pas considérer la décision comme démocratique.

13. Pourquoi une population jugée incapable de se prononcer sur une question comme la peine de mort serait-elle plus apte à juger du traité de Maastricht ou du statut constitutionnel du Québec, par exemple ?

ils expriment leurs vues — en Italie, cela vaut essentiellement pour la Ligue du Nord — leur donne un caractère particulièrement radical, lequel soulève un doute à propos de leurs intentions réelles. Mais ce discours s'appuie en bonne partie sur le constat d'un déficit démocratique, partagé par bien d'autres qu'eux, et les réformes institutionnelles qu'ils proposent — en réponse à des problèmes, voire des dysfonctionnements, bien réels — appartiennent au répertoire des mécanismes et des formules susceptibles de mesurer ou de traduire la volonté de la majorité. Que des éléments majeurs de leurs programmes permettent par ailleurs de décrire ces partis comme autoritaires — au premier chef l'insistance nette sur « la loi et l'ordre » ainsi que l'hostilité à l'immigration et au multiculturalisme — et puissent susciter une opposition très vive, que dans leur fonctionnement interne ces partis ne laissent guère de place à la démocratie et répondent à un principe oligarchique, sinon monocratique, cela vient sans doute ajouter aux suspicions, mais ne doit pas nous amener à confondre ces forces politiques avec les partis fascistes ou nazis de l'entre-deux-guerres. Cela nous rappelle que l'organisation en vue de la lutte politique s'accommode bien mal de la démocratie interne[14], mais surtout qu'en démocratie tout peut être sujet à discussion, que la démocratie repose sur le pari de l'intelligence des citoyens — et que l'on peut prendre tout à fait démocratiquement de très mauvaises décisions.

Systèmes politiques nationaux, dynamique des partis et entrepreneurs politiques

Le fait de situer la montée des partis d'extrême droite sur la toile de fond des problèmes et des transforma-

---

14. Sur ce point, le constat posé par l'ouvrage classique de Roberto MICHELS, *Les partis politiques* (Paris, Flammarion, 1971 ; éd. originale allemande : 1911) demeure indépassable.

tions que connaissent les sociétés démocratiques, de même que le caractère non exceptionnel du phénomène[15] suggèrent que celui-ci est redevable d'une explication générale, qui dépasse le cadre national : il existerait un facteur X, dont les variations expliqueraient, toutes choses étant égales par ailleurs, celles de l'appui électoral à l'extrême droite[16]. On est certes autorisé à parler d'un phénomène *général*, en ce sens qu'en plusieurs pays, des partis ou des forces occupant une position à peu près similaire sur le spectre politique (de la droite à l'extrême droite) ont connu des succès plus ou moins comparables. Toutefois, ces forces agissant au sein de systèmes politiques nationaux — il n'existe pas d' « Internationale noire » qui coordonne leur action, c'est à cette échelle que l'on doit nécessairement situer l'analyse et c'est pour cette raison qu'il nous a semblé préférable de concentrer celle-ci sur trois expériences, comme on le verra, passablement différentes.

Cette analyse doit prendre en compte trois niveaux que nous désignerons comme (1) le système politique national, (2) la dynamique des partis et (3) le travail des entrepreneurs politiques. On entendra par système politique national le cadre d'ensemble dans lequel s'insère, dans un pays donné, le jeu des partis rivalisant pour le suffrage des électeurs. Cela comprend (i) le cadre constitutionnel (au sens strict), (ii) l'économie institutionnelle (mais pas nécessairement constitutionnelle) caractéristique de l'équilibre des forces politiques préalable à la montée de l'extrême droite (par exemple, la « partitocratie »

15. Dans les années 1980, on a cru — à tort, manifestement — que le Front national constituait une « exception française ».

16. Pascal DELWIT, Jean-Michel DE WAELE et Andrea REA, par exemple, attribuent ce rôle au nationalisme (« Comprendre l'extrême droite », in *id.*, (dir.), *L'extrême droite en France et en Belgique*, Bruxelles, Complexe, 1998) ; Hans-Georg BETZ identifie pour sa part l'immigration comme la variable décisive dans *Radical Right-Wing Populism in Western Europe*, New York, St. Martin's Press, 1994.

italienne, le « *Proporz* » autrichien, la division gauche-droite en France), et (iii) les règles de la compétition électorale. La notion de dynamique des partis renvoie pour sa part à l'idée que les partis d'extrême droite doivent être considérés comme des joueurs dans un affrontement qui compte, dans sa version la plus simple (l'autrichienne), au moins trois protagonistes : l'explication doit tenir compte des mouvements de chacun comme des réactions de chacun aux mouvements des autres. On ne saurait par exemple comprendre l'évolution de la rivalité qui oppose les partis d'extrême droite à ceux de la droite traditionnelle, ou encore les ententes provisoires qu'ils concluent (par exemple, celle qui conduit à la formation du gouvernement autrichien début 2000), sans tenir compte du jeu des partis de gauche. Dans le cas de l'Italie, le destin de l'Alliance nationale et celui de la Ligue du Nord ne peuvent se comprendre en dehors de la dynamique initiée par la création de *Forza Italia*, une force que l'on ne saurait, en dépit des inquiétudes que soulève le cas particulier de son chef Berlusconi, ranger à l'extrême droite. En ce sens, on pourrait presque parler d'une sorte de mécanique. Mettre en lien le système politique — au sein duquel, avant leurs succès électoraux, les partis d'extrême droite constituaient une force négligeable — et la dynamique des partis revient toutefois à dire qu'il existe, en de certaines circonstances, une « fenêtre d'opportunité » dont peut se prévaloir une nouvelle force politique. Encore faut-il, justement, que celle-ci sache s'en saisir. Parler ici d'entrepreneurs politiques vise à souligner le fait que des leaders dont l'objectif premier (au sens chronologique) était d'imposer de façon permanente la présence de leur parti au sein du système politique, ne se sont pas contentés pas de traduire les *demandes* d'une fraction de l'électorat, mais, précisément parce qu'ils se présentaient sur une scène déjà occupée, ont dû accomplir un travail important de structuration ou de façonnement d'une *offre* politique. De là l'apparition sur le marché politique de thèmes qu'en raison de leur position au sein du système politique les autres partis n'abordaient pas, ou alors malaisément : craintes suscitées par les flux migratoires nouveaux, ratés de l'État-providence, corruption des élites politiques, etc. Le caractère « anti-systémique » de certaines des propositions avancées par les partis d'extrême droite apparaît dans cette perspective comme une stratégie de démarcation vis-à-vis des concurrents situés immédiatement à leur gauche (les partis de droite traditionnels) plutôt que comme la couverture d'un « agenda caché ». On notera également que des leaders comme Haider, Le Pen ou Berlusconi ont su décisivement ajuster leur offre politique aux conditions nouvelles de la démocratie représentative, jouant habilement des nouvelles techniques de communication et de marketing et s'adaptant aisément à la personnalisation du combat politique qui résulte de sa « télévisualisation ». C'est dans ce cadre que l'on doit envisager l' « idéologie » des partis d'extrême droite, dont le moins qu'on puisse dire est qu'elle est diversifiée, sinon éclectique : et à quoi pourrait-on s'attendre d'autre de la part d'un parti qui vise à pénétrer un espace politique déjà occupé et doit par conséquent chercher l'appui de divers segments de l'électorat que rien ne rassemble *a priori*, sinon leur éventuel mécontentement à l'endroit des partis existants ? Plutôt que de chercher à distinguer dans le discours de ces partis ce qui correspond à leurs vraies intentions (par exemple, les petites phrases de Le Pen à propos des « races ») et ce qui vise à appâter les masses populaires désorientées (les sorties du même contre « l'impérialisme américain »), il faut voir l'idéologie comme une ressource pour l'entrepreneur politique, un ensemble de signes permettant tantôt d'envoyer des messages différents à des segments divers de l'électorat, tantôt de mobiliser ou de rassembler les militants et les cadres. L'« intelligence » de l'entrepreneur consistera souvent à trouver la formule qui pourra faire tenir ensemble une offre assez disparate : ainsi, celle du contrat, avec ce qu'elle connote de clarté, de légalité, de réciprocité et d'imputabilité, véritable convention que Haider et Berlusconi (en intitulant leurs programmes électoraux respectifs « Contrat avec l'Autriche » et « Contrat avec les Italiens ») ont reprise de Newt Gingrich et de son *Contract with America*[17].

Droite et gauche : notre langage politique

En quel sens pouvons-nous parler légitimement d'« extrême droite » ? Les intéressés eux-mêmes refusent cette appellation. Jean-Marie Le Pen a parfois décrit le FN comme la « vraie droite », comme la « droite nationale », comme « ni de droite ni de gauche » ou encore « socialement de gauche, économiquement de droite ». Les néo-fascistes italiens se décrivaient comme la « droite nationale » et leurs adversaires eux-mêmes les caractérisaient comme « la droite », réservant le plus souvent l'appellation d'extrême droite aux franges subversives ou néo-nazies. Haider et son parti préféraient se poser comme « troisième force » devant les socialistes et les conservateurs et se décrire comme « libertaires ». Tout semble bien relatif en ce domaine et l'on a souvent proclamé que ces catégories étaient caduques[18]. Cette section a pour objet de justifier l'usage qui sera fait des

17. La même circulation des conventions s'observe chez les adversaires. Ainsi trouve-t-on, sous la plume d'Emmanuel DEBRUYNE, une plaquette intitulée *Hitler, Haider : même combat (?)* (Bruxelles/Paris, Castells/Labor, 2000), sur le modèle du *Le Pen, Hitler, Mégret : leur programme*, de Raymond CASTELLS (Paris, Castells, 1998). Dans les deux cas, le procédé consiste en un collage d'articles des programmes du Parti nazi (de 1920) et du programme du FPÖ/FN, censé illustrer leur identité.

18. P. Ignazi signale qu'en 1848, on pouvait déjà lire dans un dictionnaire de politique que « ces divisions anciennes ont perdu beaucoup de leur valeur » (*op. cit.*, p. 15).

catégories de gauche, de droite et d'extrême droite en me limitant à quelques remarques sur leur logique, leur histoire et leur contenu.

Parler de gauche et de droite consiste à se représenter le monde politique suivant la dimension spatiale. Originairement et concrètement, la division gauche-droite renvoie à la topographie parlementaire, distinguant adversaires et partisans du veto royal suivant leur localisation physique à l'Assemblée nationale française en 1789[19]. Plus abstraitement, on peut dire que tout conflit politique conduit à une polarisation et que la métaphore gauche-droite, en raison de son fondement biologique et du fait qu'elle était « profondément imprégnée de symbolisme religieux et social », était parfaitement adaptée à la représentation de cette polarisation[20]. Mieux, du fait qu'il s'agit d'une représentation spatiale, elle permet de passer « de la dualité au continuum » : entre la gauche et la droite, il y a un centre ; on peut également déterminer des extrêmes[21]. Plusieurs dichotomies politiques peuvent être analysées comme des équivalents structurels du diptyque gauche-droite : c'est le cas par exemple de l'opposition progressiste/réactionnaire (qui comporte également une dimension temporelle) ou du couple *liberal/conservative* aux États-Unis. Dans le domaine de la compétition électorale, on peut penser que les catégories gauche/droite seront plus volontiers sollicitées dans une situation de multipartisme, où elles décriront des ensembles ou des coalitions de partis (France, Italie), que dans une situation de bipartisme ou de quasi-bipartisme où les noms ou surnoms des partis suffiront à orienter l'électeur (ainsi, les

19. Pour une description des premières manifestations physiques de la division gauche-droite, voir J. A. LAPONCE, *Left and Right. The Topography of Political Perceptions*, Toronto, University of Toronto Press, 1981, p. 48-52.

20. *Ibid.*, p. 10.

21. *Ibid.*

« noirs » et les « rouges » en Autriche, les démocrates et les républicains aux États-Unis, *Conservative* et *Labour* en Grande-Bretagne). De la même façon, les « extrêmes » apparaîtront lorsque les nécessités du classement l'exigeront : en Italie, c'est l'absence d'une « droite », la Démocratie chrétienne et les petits partis associés à elle se retrouvant au « centre » du fait de leur appartenance officielle au camp « antifasciste », qui permet aux néofascistes d'échapper à la position extrême ; en France, où existe à droite un parti (en fait, selon les périodes, une kyrielle de partis ou « particules ») distinct des autres partis de droite, il est naturel qu'on fasse appel à la catégorie « extrême » pour le situer et le décrire. Gauche, droite, extrême droite apparaissent donc d'abord comme des points de repère pratiques, utilisés par les électeurs eux-mêmes pour se représenter l'espace politique partisan[22].

On peut se demander si, par-delà cette fonction positionnelle, ces catégories correspondent à un contenu politique/idéologique/axiologique défini, si ce contenu est plutôt stable ou plutôt changeant, et enfin si un axe gauche-droite constitue une représentation exhaustive de l'espace politique. En s'appuyant sur une variété de sources savantes et non savantes, Laponce soutient que ces catégories recouvrent des contenus touchant à plusieurs dimensions et s'ordonnant évidemment sous forme dichotomique. Parmi ceux-ci, il distingue des contenus stables (dont les principaux — ceux qui correspondent à « l'essence du contraste entre gauche et droite » — sont les couples égalitaire/hiérarchique [contraste politique], pauvre/riche [contraste

---

22. Voir par exemple Nonna MAYER, *Ces Français qui votent* FN (Paris, Flammarion, 1999, ch. 1), à propos de la manière dont les électeurs se situent eux-mêmes et situent Le Pen et le FN sur une échelle gauche-droite. Plus des trois quarts des répondants (et 70 % de ceux qui disent avoir voté FN) les situent à l'extrême droite. Ce jugement semble donc indépendant de leur vote et de la position qu'ils s'attribuent sur l'échelle.

économique] et libre pensée/religion [contraste religieux]) et des contenus changeants (par exemple le couple nationalisme/internationalisme, dont le rapport avec gauche et droite a fortement varié selon les conjonctures[23]). Un auteur italien, Marco Revelli, a de son côté distingué cinq polarités correspondant à la distinction gauche/droite : changement/stabilité, égalité/hiérarchie, autonomie/hétéronomie, masses/élites, rationalisme/irrationalisme, mais pour ajouter aussitôt que ces dichotomies coïncidaient rarement[24]. N. Bobbio, dans un essai devenu rapidement célèbre, résume pour sa part dans l'attitude à l'égard de l'égalité et de l'inégalité le noyau dur du contraste entre gauche et droite, et dans le couple liberté/autorité le critère distinctif entre modérés et extrémistes. Cela lui permet de dégager quatre combinaisons : égalitaire/autoritaire (extrême gauche), égalitaire/libertaire (gauche modérée), inégalitaire/libertaire (droite modérée) et inégalitaire/autoritaire (extrême droite[25]). Cette approche typologique n'est pas toutefois pas exempte du risque d'illusion rétrospective. L'usage maintenant établi du couple gauche-droite dans nombre de systèmes politiques peut laisser croire qu'une signification idéologique stable et dense s'attachait à ces termes depuis la Révolution française. Des travaux fondés sur une recherche approfondie des significations que, au fil des conjonctures, acteurs politiques et observateurs contemporains attribuaient à ces termes ont conduit à périodiser cette histoire en découplant l'usage proprement parlementaire de ces termes du clivage politique,

---

23. Laponce, *op. cit.*, p. 116-119.

24. Marco Revelli, *Le due destre*, Torino, Bollati Boringhieri, 1996. Je suis ici le résumé qu'en donne N. Bobbio dans *Left and Right. The Significance of a Political Distinction*, Londres, Polity Press, 1996, p. 58-59 et p. 111.

25. *Ibid.*, p. 78-79.

idéologique et culturel qu'ils en sont venus à désigner[26].

Certains auteurs, sans renoncer à l'axe gauche-droite, qu'ils identifient essentiellement à un continuum allant des attitudes favorables au socialisme et à l'interventionnisme à celles orientées vers le libre marché et le respect de la propriété, ont par ailleurs cherché à offrir une représentation plus complexe de l'espace politique. Selon Inglehart, la croissance économique de l'après-guerre, la démocratisation de la scolarisation et le développement des communications ont entraîné une redistribution des compétences politiques qui a permis l'émergence d'une « nouvelle politique », où les « post-matérialistes » soucieux de l'environnement, de l'égalité des sexes et de la participation politique s'opposeraient aux « matérialistes », dont l'orientation politique serait plus traditionnelle et demeurerait centrée sur les dimensions économiques[27]. Kitschelt, dans son ouvrage consacré au courant qui nous intéresse ici, propose un axe libertaire-autoritaire, perpendiculaire à l'axe socialiste-capitaliste (ou gauche-droite) et dont l'émergence aurait provoqué un déplacement de l'espace politique permettant à la « nouvelle droite radicale » d'occuper une partie du terrain jusqu'alors réservé

---

26. Mentionnons en particulier les travaux de Marc CRAPEZ : « De quand date le clivage gauche/droite en France ? », *Revue française de science politique*, vol. 48, n° 1, 1998, p. 42-75 et *Naissance de la gauche*, Paris, Michalon, 1998. Selon cet auteur, l'affaire Dreyfus et la période du Front populaire constituent les conjonctures décisives ; l'usage du couple gauche-droite n'avait pas acquis au 19e siècle son rôle polarisant et demeurait limité au domaine parlementaire. P. MARTIN propose de voir dans l'opposition gauche-droite une contrainte structurelle, une traduction possible de la dynamique dualiste qu'induit la nécessité de désigner des dirigeants (*Comprendre les évolutions électorales. La théorie des réalignements revisitée*, Paris, Presses de Sciences Po, 2000, p. 18-19).

27. Ronald INGLEHEART, *The Silent Revolution. Changing Values and Political Styles among Western Publics*, Princeton, Princeton University Press, 1977.

à la droite traditionnelle[28]. Ni l'un ni l'autre des axes définis par Inglehart et Kitschelt ne sont toutefois véritablement indépendants de l'axe gauche-droite : gauche, post-matérialiste et libertaire s'attirent, tout comme, de l'autre côté, droite, matérialiste et autoritaire. Pierre Ostiguy, dans un texte récent fondé sur une analyse du péronisme argentin et d'autres phénomènes populistes, a pour sa part proposé de prendre en compte l'existence d'un axe haut-bas, véritablement perpendiculaire à l'axe gauche-droite, ordonnant les interpellations adressées à l'électorat selon qu'elles adoptent le registre de la proximité et de l'identité, du populaire et du vulgaire (le bas) ou celui de la distance, de l'élitisme, du normatif (le haut[29]). Il est intéressant de noter que bien des leaders européens d'extrême droite ou apparentés à celle-ci (un Bossi ou un Le Pen, notamment) jouent abondamment du premier registre et que la trajectoire de Haider pourrait être lue comme une tentative (manquée) d'imposer l'axe haut-bas comme vecteur premier de la politique autrichienne. Ce que l'on désigne souvent par le recours au terme de « populisme », c'est-à-dire un style politique fondé sur la ressemblance entre le chef du parti et ses électeurs, sur le lien étroit et direct entre eux, sur le recours à un niveau de langage populaire[30], du fait qu'il installe comme ligne de partage fondamentale la distinction entre « eux » et « nous », permet à ceux qui l'adoptent une

28. Herbert Kitschelt, *The Radical Right in Western Europe : A Comparative Analysis*, Ann Arbor, University of Michigan Press, 1996.

29. Pierre Ostiguy, *The High and the Low in Politics : A Two-Dimensional Political Space for Comparative Analysis and Electoral Studies*, Working Paper, University of Notre Dame, Helen Kellogg Institute for International Studies, 2004.

30. Des électeurs de la Ligue du Nord auraient ainsi dit de son chef: « Quand Bossi parle, c'est comme si je parlais moi-même » ; « Bossi dit en pleine face aux politiciens ce que nous disons entre nous ». Cité dans Anna Cento Bull et Mark Gilbert, *The Lega Nord and the Northern Question in Italian Politics*, New York, Palgrave, 2001, p. 20.

mobilité importante par rapport à l'axe gauche-droite et donc une liberté vis-à-vis des antinomies décelées par des auteurs comme Laponce, Revelli et Bobbio. De là par exemple le paradoxe d'un FN « gaucho-lepéniste » qui apparaît plus extrémiste dans la mesure même où, en se posant du côté du « peuple » contre les « élites », pour « l'égalité » contre les « privilèges », il semble échapper au clivage gauche-droite. Ou, en direction inverse, la trajectoire des néo-fascistes italiens qui, laissant à la Ligue du Nord les discours les plus radicaux et le style populiste, dérivent pour leur part vers la droite traditionnelle et respectable.

⋆⋆⋆

La présente introduction visait à préciser les intentions et l'orientation de ce livre en répondant à quelques questions préliminaires : s'agit-il d'un phénomène nouveau et, si oui, en quoi ? comment doit-on l'étudier ? quels aspects doit-on privilégier ? avec quels outils conceptuels ? Les trois chapitres suivants seront consacrés à l'examen des trois cas à mon avis les plus intéressants, et qui ont en tout cas bénéficié du plus fort écho médiatique — ceux, évoqués tout au long, de l'Autriche, de la France et de l'Italie. Il va de soi que ces expériences diffèrent sensiblement : alors que l'Autriche et la France offrent l'exemple de jeux à trois (socialistes, conservateurs et FPÖ dans le premier cas ; gauche, droite modérée et FN dans le second) où, sur la période considérée, les partis affichent une identité idéologique assez stable, l'Italie offre le spectacle d'un système partisan plus complexe et de redéfinitions idéologiques qui rendent périlleuse la comparaison terme à terme avec les deux autres pays. Nous n'avons pas la prétention, dans cette brève monographie, d'épuiser tous les aspects de l'évolution politique récente des pays retenus, mais, tout en donnant un écho à plusieurs des travaux cités jusqu'ici (ainsi qu'à d'autres), nous pensons pouvoir faire ressortir nettement, à chaque fois, la logique, ou comme il a été dit plus haut, la *mécanique*, qui rend plus intelligible les succès de la ou des forces situées tout à la droite du spectre politique (ainsi que les limites de ces succès). En conclusion, nous procéderons à une comparaison schématique des trajectoires suivies par ces forces politiques en France, en Autriche et en Italie et nous nous interrogerons sur leur avenir.

1

France : les hauts et les bas de Le Pen et du FN

La deuxième position obtenue le 21 avril 2002 par Jean-Marie Le Pen, lors du premier tour de l'élection présidentielle française, a provoqué d'abord la surprise générale, puis une mobilisation sans précédent contre le candidat du Front national. Le 5 mai, lors du second tour, le président sortant Jacques Chirac, devenu son unique adversaire, devait obtenir 82,15 % des voix (un record bien sûr depuis l'élection du chef de l'État au suffrage universel) contre seulement 17,85 % (et 5 502 314 voix) à Le Pen, en avance par rapport à son score personnel du premier tour (16,86 % et 4 804 713 voix) mais en recul relatif par rapport à l'ensemble des voix d'extrême droite (soit 19,2 % et 5 472 430 voix pour les résultats combinés de Le Pen et de son ancien second devenu « félon », Bruno Mégret[1]). Quelques semaines plus tard, les élections législatives devaient confirmer l'hégémonie de la droite modérée autour de Chirac et les limites du Front national, contenu à 11,34 % des suffrages exprimés au premier tour. Vu de l'étranger, on serait porté à dire que les Français ont joué d'abord à se

1. La baisse relative s'explique par la différence des taux de participation : 69,1 % de suffrages exprimés au premier tour contre 75,4 % au second.

faire peur, puis à se rassurer sur leur indéfectible « antifascisme ». Et, de fait, le caractère tragi-comique de l'élection présidentielle de 2002 tient d'abord à la logique du système électoral qui ne retient pour le second tour que les deux candidats ayant obtenu le plus de voix lors du premier tour. Le 21 avril 2002, une avance de moins de 200 000 sur 28 millions de voix exprimées (ou sur 41 millions d'électeurs inscrits) a permis à Le Pen d'éliminer de la course le premier ministre sortant Lionel Jospin. Imaginons un instant la situation qui aurait résulté d'une règle plaçant au second tour non pas les deux mais les trois premiers candidats[2] : on peut raisonnablement penser que le choc de voir Le Pen devancer Jospin aurait provoqué une mobilisation importante, mais la dynamique de celle-ci aurait été structurée par la division gauche-droite et il n'est pas évident que le bénéficiaire en aurait été l'actuel président. On peut surtout, sur la base des résultats réels, imaginer aussi quelle aurait été la situation si les autres candidats issus des partis du gouvernement de la « gauche plurielle » avaient choisi de faire front derrière le premier ministre plutôt que de se reléguer dans l'opposition pour au moins cinq ans : Jospin serait arrivé largement en tête au premier tour et, ici encore, il est loin d'être clair que Chirac eût pu surmonter cette avance. En fait, comme on peut le voir à la lecture du tableau 1, il aurait suffi que les voix d'un seul de ces candidats (dont les noms sont en italiques) se fussent portées sur Jospin pour que celui-ci devançât Le Pen.

Que Le Pen ait été au centre du jeu politique et médiatique pendant les deux semaines séparant les deux tours

2. Une telle simulation n'est pas absurde : ainsi, dans l'Allemagne de l'entre-deux-guerres, le système électoral de la République de Weimar prévoyait que les trois candidats arrivés en tête se retrouvaient au second tour de l'élection présidentielle. Ce n'est pas le précédent le plus rassurant, on en conviendra.

Tableau 1
Résultats du 1er tour de l'élection présidentielle 2002 (21 avril 2002)[3]

Candidat	Nombre de voix	% exprimés
Jacques Chirac	5 666 440	19,88
Jean-Marie Le Pen	4 805 307	16,86
Lionel Jospin	4 610 749	16,18
François Bayrou	1 949 436	6,84
Arlette Laguiller	1 630 244	5,72
Jean-Pierre Chevènement	1 518 901	5,33
Noël Mamère	1 495 901	5,25
Olivier Besancenot	1 210 694	4,25
Jean Saint-Josse	1 204 863	4,23
Alain Madelin	1 113 709	3,91
Robert Hue	960 757	3,37
Bruno Mégret	667 123	2,34
Christiane Taubira	660 576	2,32
Corinne Lepage	535 911	1,88
Christine Boutin	339 142	1,19
Daniel Gluckstein	132 702	0,47

tient donc largement à un concours de circonstances et à la logique du système électoral français. L'histoire des présidentielles de 2002, avant d'être celle d'un affrontement entre la République et ses prétendus ennemis, est d'abord celle de la défaite d'une gauche qui n'avait pas compris cette logique. Il n'en demeure pas moins qu'avec cinq millions et demi de voix à chacun des deux tours, l'extrême droite française a atteint un sommet qui, s'il constitue une progression appréciable (environ 20 %) par rapport aux scrutins présidentiels de 1988 et

3. Source : données du Conseil constitutionnel.

1995, témoigne surtout de la persistance surprenante de son emprise sur l'électorat[4]. Depuis maintenant vingt ans, Jean-Marie Le Pen et le Front national font partie intégrante jeu politique français : comment expliquer qu'un leader dont la carrière a débuté pendant la guerre d'Algérie et qu'un courant politique qui avait été tenu dans la marginalité depuis les débuts de la Ve République aient pu non seulement percer mais aussi croître et se maintenir sur une aussi longue période ?

Le Pen et l'extrême droite avant 1981

Avant d'être, à 73 ans, le plus âgé des candidats à l'élection présidentielle du printemps 2002, Jean-Marie Le Pen fut, en 1956, le plus jeune député de France, élu sous la bannière de l'Union de défense des commerçants et des artisans (UDCA). Ce parti, fondé par Pierre Poujade en réaction au mécontentement que suscitait la république parlementaire enlisée dans la guerre d'Algérie, obtint un succès considérable aux élections de janvier 1956, avec 11,6 % des suffrages exprimés et 52 élus. Parmi eux, Jean-Marie Le Pen se signale rapidement par des qualités d'orateur hors du commun : âgé de 27 ans, il a déjà à son actif plusieurs années de militantisme étudiant[5] et une participation manquée à la guerre d'Indochine[6]. À l'Assemblée, il dénonce sans relâche ce qu'il considère comme l'inaction et l'esprit

---

4. En 1988, Le Pen avait obtenu 4 376 742 voix, soit 14,4 % des suffrages exprimés. En 1995, il avait obtenu 4 570 838 voix, soit 15,0 % des suffrages exprimés. Selon le politologue Pascal Perrineau, les 11,3 % du premier tour des élections législatives de 2002 doivent en outre être comparés aux 9,7 % de 1988, ces deux élections constituant une « ratification » du choix présidentiel tout juste accompli (il n'y avait pas eu de législatives en 1995) : il y a progression nette si l'on agrège au vote FN celui du Mouvement national républicain de Bruno Mégret, lui-même issu du FN (1,1 %). (http ://www.2002.sofres.com.itv_perrineau.htm ; 5 mars 2003).

5. Il fut notamment élu président de la Corporation des étudiants de droit en 1949.

6. Son entraînement complété, il n'arriva sur le terrain qu'au lendemain de la défaite de Diên Biên Phu.

de capitulation du gouvernement devant la perte de l'Empire. Le Pen rompt toutefois rapidement avec Poujade, qu'il estime timide, voire timoré, devant le nécessaire renversement des institutions de la IVe République. Devenu indépendant, il réintègre son régiment de parachutistes et prend part à l'expédition de Suez. Rejoignant ensuite Alger, il participe à la lutte contre le terrorisme à titre d'officier de renseignement. Il sera accusé, dès le début de 1957, d'avoir pratiqué la torture. Cette affaire, qui resurgira périodiquement et hantera toute la carrière de Le Pen, donnera lieu à de nombreux procès en diffamation contre ses accusateurs. S'il ne reconnaîtra jamais avoir personnellement pratiqué la torture, Le Pen refusera toujours, en revanche, de condamner le recours à celle-ci dans les circonstances de la guerre.

Revenu à Paris, il fonde le Front national des combattants (FNC), un des nombreux mouvements éphémères qui lutteront contre l'indépendance algérienne. Le retour au pouvoir du général De Gaulle, en mai 1958, redonne espoir aux partisans de l'Algérie française. La Constitution de la Ve République, qui renforce très nettement la position de l'exécutif vis-à-vis de l'Assemblée, conforte en effet les critiques du régime parlementaire et les tenants d'une conception plus autoritaire du pouvoir politique. Pour les milieux de l'extrême droite et pour les partisans d'une Algérie française, la déception ne tardera toutefois pas à venir. À partir de 1960, il devient clair que De Gaulle s'achemine vers la reconnaissance de l'autodétermination algérienne, ce qui amène plusieurs éléments de la droite nationaliste à entrer en dissidence, sinon en opposition ouverte. En mai 1961, des généraux tentent un putsch qui échoue lamentablement devant la détermination du gouvernement et le refus de suivre des soldats du contingent. Des officiers et d'autres partisans acharnés de l'Algérie française prennent alors le maquis et forment l'Organisation Armée secrète (OAS), qui se lance dans une campagne terroriste sanglante, dirigée à la fois contre les partisans de l'indépendance algérienne et contre les autorités françaises. En novembre 1961, le député Le Pen est accusé d'avoir incité des militaires à la rébellion en faisant acclamer l'OAS pendant un meeting et le gouvernement demande la levée de son immunité parlementaire. L'année 1962 se termine par la déroute des partisans de l'Algérie française : le référendum tenu en France à la suite des accords d'Évian donne une écrasante majorité en faveur de l'autodétermination, la répression policière réussit à contenir puis à démanteler l'OAS déchaînée et Le Pen perd son siège aux élections de novembre. Pour lui comme pour l'ensemble de la droite extrême commence une longue traversée du désert.

En 1965, à l'occasion des élections présidentielles, les nostalgiques de l'Algérie française et une bonne partie de la droite nationaliste se rassemblent toutefois autour de la candidature de Jean-Louis Tixier-Vignancour, ancien ministre de l'information du gouvernement de Vichy, ancien avocat du général Salan, chef de l'OAS Le Pen devient l'organisateur principal de sa campagne. Mais au soir du premier tour de l'élection, le 5 décembre, c'est la déception : Tixier n'obtient que 5,3 % des suffrages exprimés, beaucoup moins que l'UCDA en 1956 (11,6 %) ou que le NON au référendum de 1962 (9,2 %). Cet échec ne fait qu'amplifier la démobilisation et l'éparpillement d'une extrême droite déjà mal en point.

Les dernières années de la présidence gaullienne, puis celles de la présidence Pompidou (1969-1973), sont marquées à l'extrême droite par la percée de groupes « musclés », composés surtout d'étudiants désabusés de l'électoralisme et se spécialisant dans les manifestations violentes (contre les communistes ou en faveur du régime sud-vietnamien) et les affrontements armés (de barres de fer) avec leurs homologues d'extrême gauche. Parmi ces militants, on retrouve de futures têtes d'affiche de la droite française comme Alain Madelin, qui, devenu ultra-libéral, sera ministre du gouvernement Chirac (1986-1988), puis candidat à l'élection présidentielle de 2002, ou Patrick Devedjian, actuel ministre du gouvernement Raffarin. Le Front national (FN) est formellement créé en 1972, à l'initiative d'Ordre nouveau, un mouvement qui déclare son admiration pour le néo-fascisme italien et les régimes autoritaires d'Espagne et de Grèce[7]. Ce nouveau parti se veut une fédération des divers courants d'extrême droite et son premier bureau politique résulte d'un savant dosage entre tendances. Si Jean-Marie Le Pen, qui représente le courant issu du combat pour l'Algérie française, en est nommé président, la composante néo-fasciste y est également très présente[8]. Le nouveau parti, miné par les luttes de factions et les scissions, n'obtient guère de succès devant l'électorat : aux élections présidentielles de 1974, son candidat Jean-Marie Le Pen obtient moins de 200 000 voix, soit 0,7 % des suffrages exprimés ; en 1981, celui-ci n'est même pas en mesure de se présenter, n'ayant pas obtenu les 500 signatures d'élus locaux nécessaires au dépôt de sa candidature. Lors des élections législatives de juin 1981, qui voient un raz-de-marée socialiste confirmer la victoire de François Mitterrand au second tour des présidentielles, le FN n'obtient que 0,2 % des suffrages exprimés (et l'extrême droite dans son ensemble est limitée à 0,3 %). L'extrême droite semble définitivement appartenir au passé de la France.

7. Le nom d'Ordre nouveau, dont les connotations fascistes sont transparentes, est repris de celui d'*Ordine Nuovo*, un groupe italien qui s'est séparé du Mouvement social italien en 1956 et a participé à des actions terroristes au tournant des années 1970. *Ordine Nuovo* a été dissous par le gouvernement italien en 1973.

8. Avec notamment François Brigneau, ancien membre de la Milice sous Vichy, et rédacteur au journal *Minute*, Alain Robert, ancien dirigeant d'Occident, du Groupe Union-Droit, puis d'Ordre nouveau, et Pierre Bousquet, ancien *Waffen-SS* et rédacteur du mensuel « national-européen » *Militant*.

Le système politique français et l'alternance de 1981

Les institutions politiques de la Vᵉ République française se caractérisent par la coexistence d'un président élu au suffrage universel et d'un gouvernement issu de la majorité à l'Assemblée nationale. Il ne s'agit donc pas d'un régime parlementaire au sens propre du terme (comme l'était la IVᵉ République : le chef de l'État était désigné par les parlementaires et ses fonctions étaient largement symboliques, la direction du pays revenant au gouvernement bénéficiant de la confiance de l'Assemblée), ni d'un régime présidentiel pur, avec séparation stricte des pouvoirs exécutif et législatif : c'est pourquoi certains auteurs décrivent le régime politique français comme « semi-présidentiel » ou « présidentialiste » (mais d'autres parlent d'un régime parlementaire [le gouvernement émanant de la majorité] avec un certain degré de « dualisme »). Le président non seulement désigne le premier ministre, mais peut le révoquer ; il peut également dissoudre l'Assemblée et appeler des élections législatives ; enfin, il conserve un rôle décisif en matière de défense et de politique étrangère et peut exceptionnellement refuser d'approuver des lois votées par l'Assemblée. Cette formule politique, on l'a vu, fut adoptée dans le contexte de la crise algérienne et avait pour objectif de renforcer et de stabiliser l'exécutif. Elle eut également pour effet (recherché par ses concepteurs) de réduire la fragmentation partisane caractéristique de la IVᵉ République en polarisant le jeu politique, notamment à l'occasion de l'élection présidentielle qui devait conduire à choisir ultimement entre deux candidats. Ainsi, lors de l'élection présidentielle de 1965, on vit s'affronter au second tour le général De Gaulle et François Mitterrand, candidat de l'opposition. Le mode de scrutin uninominal à deux tours utilisé pour l'élection des membres de l'Assemblée allait dans le même sens, incitant les partis à se coaliser et à conclure des accords de désistement en vue du second tour. Ainsi se consolidèrent progressivement deux coalitions assez stables, l'une de droite et l'autre de gauche, qui devaient s'affronter périodiquement, tant lors des scrutins présidentiels, fortement personnalisés, que lors des élections législatives, municipales, cantonales, etc.

Tout au long des années 1960 et 1970, la France s'est donc politiquement définie par une distribution de l'électorat suivant un axe où la gauche (essentiellement les partis socialiste et communiste) s'identifiait à une forme ou une autre de socialisme, et où la droite (essentiellement, le parti gaulliste et une coalition de petits partis libéraux) se réclamait pour sa part de l'anticommunisme, d'un plus grand attachement aux traditions, d'une attitude plus favorable à l'économie de marché, sans exclure toutefois une certaine sensibilité sociale. La force du Parti communiste français, qui l'imposait comme partenaire incontournable de toute coalition de gauche, permettait aux partis modérés de droite de solliciter le vote de l'ensemble des électeurs hostiles au communisme, parmi lesquels aussi bien ceux qui auraient sans doute consenti à appuyer la gauche non communiste, n'eût été précisément de l'hypothèque communiste, que ceux dont la préférence allait à l'extrême droite et pour lesquels un vote pour la droite modérée représentait un vote « utile[9] ». Mais le discrédit croissant qui frappait le modèle communiste au tournant des années 1980 (les révélations de plus en plus admises sur les réalités du totalitarisme soviétique, l'invasion de l'Afghanistan en 1979, la situation en Pologne) allait lever partiellement cette hypothèque en

9. Jean-Marie Le Pen devait lui-même adopter cette vue à l'occasion des élections législatives de 1978, lorsque, devant la crainte d'une victoire de la gauche, il appela à voter pour la droite modérée en déclarant, avec son style habituel, qu'« entre le choléra et la diarrhée », il préférait encore cette dernière.

assurant l'hégémonie du Parti socialiste au sein de la coalition de gauche, si bien qu'après avoir passé un quart de siècle dans l'opposition, François Mitterrand devait être élu président en mai 1981, avec 51,8 % des voix.

L'alternance politique, qui se réalisait pour la première depuis 1958, eut deux effets majeurs sur la structure du jeu politique français. D'abord, dans le contexte d'un retour en force du libéralisme économique (lequel se traduisait par l'arrivée au pouvoir quasi-simultanée de Margaret Thatcher en Grande-Bretagne et de Ronald Reagan aux États-Unis) et des contraintes difficiles que posait la modernisation de l'industrie française, cette victoire allait conduire le Parti socialiste à renoncer abruptement au programme utopique qu'il avait concocté dans l'opposition et à accepter pour l'essentiel la coexistence avec l'économie de marché. De leur côté, les partis de la droite modérée, ébranlés par la défaite, se trouvaient dans une situation difficile. Le Parti communiste n'étant plus en mesure de servir de repoussoir, la distinction entre les deux camps devenait moins nette et les électeurs centristes se retrouvaient devant un véritable choix entre les modérés de l'un ou l'autre camp. Une claire redéfinition idéologique vers la droite comportait, pour la droite modérée, le risque de s'isoler dans une sorte de ghetto et de laisser ainsi la gauche se perpétuer au pouvoir avec l'appui de l'électorat centriste. Solliciter celui-ci revenait à affaiblir la distinction entre la droite et la gauche et à libérer à droite une catégorie d'électeurs hostiles à ce recentrage et auprès de qui l'argument du vote utile ne pouvait plus jouer. C'est dans cet espace que devait s'insérer rapidement le Front national.

1983-1988 : percée et consolidation du FN

On date généralement la percée électorale du FN de l'élection municipale partielle de Dreux tenue fin 1983, où son candidat Jean-Pierre Stirbois remporta 16,7 % des voix au premier tour. Ce score étonnant, qui lui assura l'attention nationale, cache en fait une série de petits succès lors des élections cantonales de 1982 et des municipales de mars 1983 : si les résultats globaux sont décevants (0,2 % et 0,1 % pour l'ensemble du territoire) et traduisent une implantation très faible, certains résultats locaux, eux, sont nettement plus encourageants (12,6 % pour Stirbois à Dreux-Ouest, 11,3 % pour Le Pen dans le 20e arrondissement de Paris, etc.). Une autre partielle, tenue en Bretagne juste après l'élection de Dreux, voit Jean-Marie Le Pen recueillir 12 % des voix. Lors des élections européennes de juin 1984, la liste de Le Pen rassemble 11 % des voix, confirmant à l'échelle nationale les précédents succès locaux. On peut voir dans ces premiers succès un effet de la transformation de l'espace politique provoquée par l'alternance : lors des élections législatives de 1978, par exemple, le candidat Stirbois n'avait obtenu que 2 % des voix. Mais ces succès tiennent également au fait que, pour un parti extrémiste sollicitant l'appui des lecteurs sur la base de son programme ou de son idéologie plutôt que sur celle de la notabilité de ses candidats ou de sa capacité à livrer des faveurs, des élections partielles offrent un cadre lui permettant de concentrer ses ressources (lesquelles consistent surtout en des militants convaincus de la justesse de leur cause que l'on peut alors déployer sur un territoire restreint) et de convaincre des électeurs mécontents de l'appuyer (puisque cela ne modifiera pas l'équilibre général des forces politiques). Les élections cantonales de 1982 et municipales de 1983 peuvent être apparentées jusqu'à un certain point à des partielles, le FN ayant dû, en raison de sa faible implantation, concentrer ses maigres ressources[10]. Les élections

10. Aux élections cantonales de 1982, le FN présente selon 65 candidats (pour 1945 cantons). Aux élections municipales de 1983, il présente également un nombre très limité de candidats.

européennes, où le scrutin est purement proportionnel, ne permettaient évidemment pas de concentrer les ressources ; mais le taux de participation y étant nettement plus faible (43,3 %), le poids relatif de l'appui au FN pouvait être d'autant plus élevé, les électeurs soucieux d'exprimer une protestation étant rassurés par l'absence de conséquences pratiques de leur vote.

Cette première série de succès confirme aux yeux des dirigeants du FN l'existence d'un électorat potentiel, jusque-là captif de la droite modérée, qui se présentait comme le seul rempart réaliste contre le danger communiste. Ils confortent également la position du FN vis-à-vis des autres composantes de l'extrême droite (l'électoralisme semble rapporter plus de dividendes que l'activisme et le terrorisme) et la position de Le Pen au sein du FN. En même temps, les succès de 1983 et 1984 apportent au FN certaines des ressources qui lui faisaient défaut, au premier chef une attention médiatique considérable. La présence du FN et de son chef dans les sondages d'opinion confirme et légitime leur existence politique. Le Pen est de plus en plus présent sur les plateaux de télévision : il peut y répercuter son discours d'une manière que n'auraient jamais permis les moyens limités de son parti et, grâce à sa maîtrise du médium (et à son goût de la provocation), assure aux chaînes qui l'invitent des cotes d'écoute élevées. L'extrême droite peut abandonner le rôle négligeable de force d'appoint de la droite, dans lequel elle était maintenue malgré elle, et s'affirmer comme acteur politique autonome, contre la gauche et la « fausse » droite tout à la fois. Aux élections européennes, le fait que la liste de la droite modérée soit dirigée par Simone Veil, une libérale issue de la communauté juive et dont le nom est lié à la loi légalisant l'avortement, semble confirmer cette nouvelle ligne de partage et permet au FN de viser l'électorat catholique traditionaliste. En tant qu'entrepreneurs politiques cherchant à s'insérer dans un jeu politique déjà largement occupé, les dirigeants du FN ne peuvent s'en tenir aux viviers traditionnels de l'extrême droite : les déçus de la guerre d'Algérie constituent un électorat vieillissant ; les néo-fascistes se réduisent à une minorité infime. Soucieux d'attirer divers segments de l'électorat qui se reconnaissent mal dans la droite et la gauche modérées, ils proposent une offre électorale éclectique, peu soucieuse de cohérence doctrinale, combinant des thèmes autoritaires comme l'hostilité à l'immigration, le renforcement de la loi et de l'ordre, la défense des valeurs chrétiennes, la dénonciation ultra-libérale du fiscalisme et de la bureaucratie, etc.[11]. Ainsi, après avoir connu ses premiers succès, le FN réussit-il à débaucher un certain nombre de notables jusque-là identifiés aux composantes de la droite modérée (le Rassemblement pour la République [RPR] et l'Union pour la démocratie française [UDF], une coalition de petits partis libéraux) ; se rallient également Bruno Mégret, qui anime alors les Comités d'action républicaine (CAR), ainsi que Jean-Yves Le Gallou et Yvan Blot, fondateurs du Club de l'Horloge[12]. C'est dans ce contexte de construction d'un électorat composite à partir de segments présentant des caractéristiques diverses qu'il faut comprendre notamment les « petites phrases » de Le Pen à propos du

11. La formule utilisée par Le Pen dans son discours prononcé à l'annonce des résultats du 1er tour de la présidentielle de 2002 exprime parfaitement cet éclectisme perceptible dès les années 1980 : « Je suis socialement de gauche, économiquement de droite, et plus que jamais, nationalement de France. »

12. Le Club de l'Horloge, créé en 1974, est un regroupement d'intellectuels et de hauts fonctionnaires, à l'origine non partisan, dont l'ambition était de fournir à la droite un ressourcement idéologique. À partir de 1984-1985, avec le ralliement de Blot et de Le Gallou au FN, il deviendra en pratique un *think tank* au service de ce dernier. C'est au Club de l'Horloge que l'on doit notamment le travail intellectuel visant à organiser les positions du FN sur la question de l'immigration autour de l'expression « préférence nationale ». Voir CLUB DE L'HORLOGE, *La préférence nationale : réponse à l'immigration*, Paris, Albin Michel, 1985.

ministre Durafour ou du génocide nazi[13], qui lui valent d'être accusé d'antisémitisme sinon de fascisme : outre qu'elles lui procurent une attention médiatique considérable, elles confortent auprès de la frange antisémite et néo-fasciste de l'électorat, réduite mais non négligeable pour un parti dont l'appui tourne autour de 10 %, l'idée que le FN est le seul parti qui les « comprenne ». Certes, ces écarts de langage entraînent le départ de quelques personnalités du FN, mais ni l'affaire du « point de détail », qui survient en septembre 1987, ni le jeu de mots sinistre à propos de Durafour, un an plus tard, n'empêchent le parti de faire des gains aux élections suivantes.

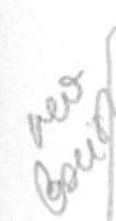

Les scrutins de la fin des années 1980 confirment en effet la percée du FN. Les résultats des élections cantonales de 1985 (8,8 %), des législatives (9,7 %) et des régionales (137 élus) de 1986, des présidentielles (14,4 %) et des législatives (9,7 %) de 1988, ainsi que des européennes de 1989 (12 %) montrent qu'en dépit des variations du système électoral, la progression du FN est constante. Lorsque le scrutin est de type proportionnel, par exemple lors des régionales, des européennes ou des législatives de 1986[14], cela permet au FN de faire élire des candidats. Lorsque s'applique le scrutin uninominal à deux tours, la règle voulant que se

13. En septembre 1987, sur les ondes radiophoniques, à une question portant sur l'existence des chambres à gaz, Le Pen répond : « Je me pose un certain nombre de questions ; je ne dis pas que les chambres à gaz n'ont pas existé. Je n'ai pas pu moi-même en voir. Je n'ai pas étudié spécialement la question. Mais je crois que c'est un point de détail de l'histoire de la Seconde Guerre mondiale. » À propos d'un ministre de la droite modérée ayant déclaré qu'il était prêt à faire alliance même avec les communistes pour s'opposer au FN, Le Pen déclare le 2 septembre 1988 : « M. Durafour-crématoire, merci de cet aveu. »

14. En 1986, pressentant la défaite, le Parti socialiste, conformément à son programme, instaura le scrutin proportionnel, cherchant à minimiser ses pertes par un fractionnement du vote de droite. La droite modérée ayant remporté quand même l'élection, elle remettra en place le scrutin uninominal à deux tours, éliminant du coup la députation FN aux législatives de 1988.

maintiennent au second tour seulement les candidats ayant obtenu au premier le vote d'au moins 12,5 % des électeurs inscrits et la logique du vote utile jouent contre le FN. Mais, comme on peut le voir, le score obtenu au premier tour des législatives de 1988, tenu au scrutin uninominal, demeure identique à celui de 1986, tenu au scrutin proportionnel. Surtout, l'élection de conseillers régionaux, de maires et de conseillers municipaux au fil des élections locales vont permettre un enracinement et un apport de ressources permettant de consolider les gains accomplis. Parmi ces ressources, on peut mentionner les salaires des élus (dont un pourcentage est versé en cotisation au parti), l'usage qui peut être fait des biens publics dont ils ont la charge, la possibilité de développer des réseaux clientélistes, etc.

1988-1997 : seul contre tous

Tout comme la percée du FN apparaît étroitement dépendante de l'opportunité créée par l'alternance survenue en 1981, sa persistance, son développement ultérieur et les choix faits par ses dirigeants ne peuvent être compris indépendamment des règles qui structurent le système politique français et des choix faits par les autres forces politiques. Devant quelles options la percée et la consolidation du FN plaçaient-elles la gauche modérée, la droite modérée et la droite extrême ?

Pour la gauche, la situation idéale était celle d'un FN suffisamment fort : ainsi, soit la droite modérée serait incitée à en venir à une entente avec ce dernier, mais alors elle se discréditerait et verrait une part de ses électeurs hostiles à cette compromission se déporter vers la gauche modérée ; soit, plus probablement, dans la crainte de voir ce scénario se réaliser, la droite modérée refuserait toute alliance avec la droite extrême, mais alors, en raison de la division de l'électorat de droite entre modérés et extrêmes, la majorité des sièges lui échapperait. Pour la droite modérée, la situation était beaucoup plus délicate : d'une part, il semblait peu prometteur d'aller chercher vers la gauche de son électorat traditionnel des votes destinés à compenser les pertes subies à l'extrême droite, puisque ce terrain était déjà largement occupé par un Parti socialiste de plus en plus modéré et que le déclin communiste, confirmé à chaque scrutin et rendu irréversible par la chute de l'URSS, rendait caduc l'argument du péril rouge ; d'autre part, affaiblir le FN en allant « chasser sur ses terres », c'est-à-dire en reprenant certains de ses thèmes, apparaissait comme un pari plausible mais hautement risqué. Du côté de l'extrême droite, l'affirmation de sa distinction s'avérait en revanche payante. Dans le contexte de l'alternance qui avait vu la gauche accéder au pouvoir pour la première fois depuis les débuts de la Ve République, l'extrême droite avait surgi du néant pour atteindre 14,4 % des suffrages exprimés lors du premier tour de l'élection présidentielle de 1988. En d'autres termes, après avoir décliné durant un quart de siècle dans une France gouvernée par la droite et avoir pour ainsi dire frôlé l'extinction, l'extrême droite représentait, au terme du premier mandat Mitterrand, près de 30 % du vote de droite, ce qui ne devait sûrement pas l'inciter à conclure une alliance avec la droite modérée. Pour le FN, aider la droite modérée à accéder au pouvoir dans un contexte où il demeurait malgré tout minoritaire au sein de l'ensemble de la droite devait évoquer immédiatement le souvenir de la victoire pyrrhique de mai 1958.

Deux facteurs devaient par ailleurs renforcer la stratégie solo du FN, à la fois choisie et subie, jusqu'au milieu des années 1990. Le premier est un effet du système politique proprement dit. L'une des caractéristiques de la Ve République résidait en effet jusqu'à récemment dans le décalage entre le calendrier présidentiel (le mandat du président durait sept ans) et celui de la législature (dont la durée maximale est fixée à cinq ans[15]). En l'absence d'alternance politique (ce qui fut le cas de 1958 à 1981), ce décalage ne posait évidemment pas problème : à un président de droite répondait une Assemblée nationale dominée par la droite. Mais, à la veille des élections de 1986, après cinq années d'un gouvernement socialiste dont la popularité initiale s'était fortement érodée, la perspective d'une assemblée dominée par la droite redevenait plausible. Or, à deux années de l'échéance du mandat présidentiel, on ne savait trop quel serait, advenant une victoire de l'opposition, le résultat de cette situation inédite. Le président Mitterrand se démettrait-il, en interprétant un tel vote comme un désaveu à son endroit ? Se maintiendrait-il dans une « cohabitation contre nature », que n'avait pas prévue la Constitution ? L'instauration du scrutin proportionnel, on l'a vu, permit à la gauche de limiter les dégâts, mais la droite modérée fut tout de même en mesure d'obtenir une majorité de sièges, et ce, sans avoir besoin de s'appuyer sur les trente-six députés de l'extrême droite. Le président Mitterrand décida de se maintenir à son poste et demanda à Jacques Chirac, chef du parti disposant du groupe parlementaire le plus important, de former un gouvernement qui pût avoir la confiance de l'Assemblée. S'instaura alors la cohabitation entre un président de gauche et un premier ministre de droite, qui les vit se livrer une guérilla de tous les instants, laquelle tourna toutefois rapidement à l'avantage du premier. Lors de l'élection présidentielle de 1988, Mitterrand battit clairement Chirac (par 54 % contre 46 % au second tour) et appela des élections législatives qui donnèrent à nouveau la majorité aux socialistes. Cette situation devait instaurer un « pattern » qui allait rythmer pendant quinze ans la politique française : lors des élections

15. Ce décalage a été éliminé en 2000 avec la réduction du mandat présidentiel à cinq ans.

législatives de 1993, les socialistes furent à nouveau battus, et, pour les deux dernières années de son second mandat présidentiel, Mitterrand dut « cohabiter » avec pour premier ministre Édouard Balladur, désigné par un Chirac qui ne souhaitait pas s'y faire reprendre. En 1995, ce dernier fut élu président, ce qui rétablit l'harmonie, mais lorsqu'il décida de dissoudre l'Assemblée nationale en 1997, il se retrouva à son tour avec une majorité de couleur contraire et dut « cohabiter » avec son adversaire, le socialiste Lionel Jospin. En 2002 comme en 1988, des partenaires de la cohabitation, c'est le président sortant qui l'emporta sur son premier ministre. Si les six élections législatives tenues de 1958 à 1978 devaient invariablement produire une majorité de droite, les cinq qui furent tenues de 1981 à 1997 ont toutes été marquées par une alternance de la majorité. Ce phénomène de double alternance (entre gauche et droite, entre périodes de « cohabitation » et périodes d'harmonie entre le président et la majorité) ne pouvait que conforter les propos de Le Pen sur la similitude entre la gauche et la « fausse droite », la « bande des quatre » et l'informe « centre-droit-centre-gauche » qui gouvernait la France, alternativement ou de concert : un discours qui avait jusque-là servi à faire émerger le FN, à permettre à l'extrême droite de se distinguer au sein de la droite se trouvait tout à coup spectaculairement confirmé par les faits. L'atmosphère de fin du règne qui entoura le second mandat de François Mitterrand, le déballage des affaires de corruption impliquant de nombreux membres de la classe politique, tant à droite qu'à gauche (et contre lesquelles le FN, du fait de sa non-participation au pouvoir, était passablement immunisé), l'amnistie que se votèrent les députés en 1990, semblaient confirmer la justesse des tirades de Le Pen stigmatisant « l'établissement ».

Le second facteur tient à la transformation que va subir l'électorat du Front national une fois celui-ci bien établi dans le paysage politique. Les études menées notamment par les politologues Pascal Perrineau et Nonna Mayer révèlent en effet qu'à côté de l'électorat qui avait assuré la percée et la consolidation initiale du FN émerge, dans la première moitié des années 1990, un second électorat, dont les caractéristiques sont très différentes. Le premier électorat FN, celui de la période 1984-1988, provient largement du milieu « des professions indépendantes, du commerce, de l'artisanat et des petites et moyennes entreprises », qui ont traditionnellement appuyé l'extrême droite, par exemple en 1956, lorsque la vague « poujadiste » avait permis au jeune Le Pen de faire son entrée à l'Assemblée nationale. À l'élection présidentielle de 1988, Le Pen parvient à capter près de 30 % du vote de ces groupes. Il s'agit d'un électorat que son profil social, économique et culturel et sa socialisation politique logent dans l'orbite classique de la droite et que Perrineau décrit justement comme « un électorat de radicalisation de la droite classique, qui considère que le RPR et l'UDF ne parlent pas suffisamment haut et fort contre une gauche au pouvoir considérée largement comme illégitime[16] ». La composition de cet électorat largement catholique, assez instruit et relativement bien nanti, s'accordait bien alors avec la stratégie du FN qui consistait à vouloir attirer des notables déçus de la droite classique, ce qu'il fit avec un certain succès, par exemple lors des élections régionales de 1986 qui virent, on l'a dit, le FN faire élire 137 candidats. Les élections législatives de 1993, où le FN obtient 12,4 % des suffrages (+ 2,7 % par rapport à 1988), mais où la droite classique l'emporte aisément sans son concours, témoignent en revanche d'une « prolétarisation » du vote FN : alors

16. Pascal PERRINEAU, *Le symptôme Le Pen. Radiographie des électeurs du Front national*, Paris, Fayard, 1997, p. 107-8.

qu'une partie de l'électorat traditionnel de la droite classique réintègre le giron qu'elle avait quitté au cours des années 1980, elle est remplacée auprès du FN par un nouvel électorat, plus « populaire », peu instruit et peu politisé, plutôt démuni et souvent sans attaches religieuses. Cet électorat, qui présente des caractéristiques sociales normalement typiques d'un vote à gauche, contribue à faire du FN le « premier parti ouvrier de France » : à l'élection présidentielle de 1995, 30 % des ouvriers votent Le Pen (aucun autre candidat n'obtient un tel score) et l'électorat FN est composé à 33 % d'ouvriers (aucune autre catégorie socio-professionnelle n'appuie à ce point le candidat Le Pen[17]). Perrineau décrit ce phénomène à l'aide d'un terme paradoxal, « gaucho-lepénisme », qui ne manquera pas de soulever la controverse[18]. Nonna Mayer, qui s'est également penchée sur ce phénomène et préfère parler d' « ouvriéro-lepénisme », estime qu'un profil socio-économique qui aurait conduit à voter communiste dans les années 1970 conduit souvent à voter FN dans les années 1990[19] : cela tient sans doute à ce qu'entre les deux moments, l'environnement social à l'intérieur duquel s'intégraient ces couches sociales s'est largement déstructuré à la faveur de la désindustrialisation des années 1980. Ce phénomène n'est, du reste, pas proprement français, comme en témoigne par exemple l'appui ouvrier dont bénéficie le Parti de la liberté autrichien (FPÖ) au cours de la même période. Combinant des attitudes et des préférences caractéristiques de la gauche (attachement à l'État-providence, appui aux

---

17. *Ibid.*, p. 102 et 210.

18. Le politologue Pierre Martin, notamment, oppose à Perrineau l'hypothèse d'une « droitisation » du vote ouvrier, entendant par là que le vote ouvrier recueilli par Le Pen et le FN proviendrait d'électeurs déjà acquis à la droite modérée, plutôt que d'électeurs faisant un saut direct de la gauche à l'extrême droite. Voir Pierre MARTIN, « Commentaires sur l'interview de Pascal Perrineau par Pierre Martin », in *L'électorat F.N.*, Notes de la Fondation Jean-Jaurès, n° 5, 1997.

19. Nonna MAYER, *Ces Français qui votent* FN, Paris, Flammarion, 1999.

revendications ouvrières) et une hostilité à l'endroit des immigrés, ces électeurs évitent de se situer sur l'axe gauche-droite, contrairement à l'électorat FN des années 1980, qui se plaçait volontiers à droite[20]. Or, ce « ninisme » (ni droite ni gauche) correspond bien à la stratégie du FN qui consiste, au cours de cette période, à renvoyer dos à dos, sans concession, la gauche et la droite, à jouer seul contre tous. Ou, plus précisément, la venue de ce nouvel électorat autour du FN témoigne de l'existence d'un espace politique pouvant assurer la rentabilité de cette stratégie et contribue donc à la justifier.

1997-1999 : la crise et l'éclatement

Ces années qui voient le FN adopter une attitude antisystème et se poser en alternative tant de la droite que de la gauche, loin de l'enfermer à la marge, correspondent en gros à une deuxième période de croissance du parti. Aux présidentielles de 1995, Le Pen ne progresse que légèrement par rapport à 1988 (15 % contre 14,4 %, 200 000 voix de plus), mais cela survient, il faut le souligner, en dépit de la présence sur les rangs d'autres candidats situés « à la droite de la droite » (Jacques Cheminade qui ne récolte que 0,3 % des suffrages, mais surtout Philippe De Villiers qui obtient 4,7 %[21]). Par contre, alors qu'il avait obtenu 9,7 % aux législatives de 1986, le FN obtient 12,5 % en 1993, puis 15,2 % en 1997 ; le système uninominal à deux tours ne lui accorde en 1997 qu'un seul élu, mais il parvient à se maintenir au

---

20. Selon Perrineau, seulement 53 % d'entre eux se reporteront au 2e tour de l'élection sur Chirac (« Entretien avec Pascal Perrineau », http://www.jean-jaures.org/NL/55/2.pdf; 4 mars 2003).

21. En 1988, trois candidats (Chirac, Raymond Barre, Le Pen) se situaient dans la portion droite de l'échiquier présidentiel. En 1995, ils étaient cinq (Chirac, Édouard Balladur, De Villiers, Cheminade et Le Pen). Cheminade était candidat du Parti ouvrier européen, lié à l'extrémiste de droite et antisémite américain Lyndon LaRouche. Philippe De Villiers était candidat du Mouvement pour la France, proche de l'intégrisme catholique et dont le programme s'apparente sur plusieurs points à celui du FN.

second tour dans 78 circonscriptions (contre 14 en 1993) et à favoriser ainsi la victoire de la gauche. La performance du parti aux cantonales, des élections où le scrutin majoritaire joue encore contre lui, traduit également sa poussée : de 5,4 % en 1988 à 12,2 % en 1992 ; puis, après un tassement à 9,8 % en 1994, remontée à 13,8 % en 1998. Aux élections européennes, terrain sur lequel le FN avait pu, pour la première fois, mesurer sa vocation nationale avec 11 % des voix en 1984, sa performance est plus stable : 11,7 % en 1989 et 10,5 % en 1994. C'est toutefois dans les scrutins locaux, dits de proximité, que le FN obtient ses résultats les plus spectaculaires, attestant d'un enracinement dans le paysage politique : après avoir obtenu, on l'a dit, 9,6 % et 137 élus aux élections régionales de 1986, il passe à 13,9 % et 237 élus en 1993, puis 15,3 % et 275 élus en 1998 ; aux élections municipales de 1995, le FN rafle la mairie de trois villes (Toulon, Orange et Marignane) avec une majorité relative, dans des luttes à trois, mais en 1997, lors de l'élection partielle de Vitrolles, Catherine Mégret obtient 46,7 % des voix au premier tour ct 52,5 % au second. Dans les villes de 30 000 habitants et plus, le FN obtient en 1995 11,6 % des voix (contre 7,8 % en 1989[22]). Cette croissance impressionnante est toutefois grosse d'une crise majeure.

Ces succès placent en effet le Front national devant un dilemme crucial. Les nouveaux sommets atteints, qui semblent témoigner de la justesse de la ligne « seul contre tous », peuvent aussi être interprétés comme des seuils à partir desquels il deviendra très difficile de continuer à progresser. Le « cordon sanitaire » que maintiennent à son encontre les états-majors des partis de la droite modérée limite sévèrement la croissance du parti et surtout sa capacité à traduire son appui électo-

---

22. Pierre MARTIN, *Les élections municipales en France depuis 1945*, Paris, La Documentation française, 2001.

ral en bénéfices réels. Certains cadres du parti estiment que, pas plus qu'ailleurs en Europe, l'extrême droite ne peut espérer en France accéder au pouvoir en comptant sur ses seules forces. C'est ce qu'a compris par exemple l'Italien Gianfranco Fini, qui, en 1994, a choisi d'insérer son parti, le Mouvement social italien, dans la coalition de centre droit dirigée par Silvio Berlusconi. Dans le Front national, ce débat prendra la forme d'un affrontement « fratricide » entre les deux principaux leaders du parti. D'un côté, Bruno Mégret, délégué général du parti : responsable de l'organisation, il est issu de la droite classique (c'est un transfuge du RPR), fonctionnaire de carrière (il est émoulu, comme bien des politiciens français, de la prestigieuse École nationale d'administration) et donc typique des milieux qui ont permis au FN d'émerger au milieu des années 1980. Mégret propose une alliance tactique avec certains segments de la droite modérée afin de rompre le barrage des autres forces politiques et de traduire l'appui électoral au FN en influence réelle et donc en participation à l'exercice du pouvoir. Cette stratégie donne ses premiers (et bien maigres) fruits lors des élections régionales de 1998 qui voient certains présidents de Conseil régional UDF et RPR accepter l'appui du FN. Dans une situation où ils doivent choisir entre une victoire obtenue grâce à l'appui des conseillers du Front national et une défaite inévitable en faveur de la gauche s'ils refusent cet appui, ces ténors de la droite modérée se retrouvent dans une position intenable : s'ils acceptent l'appui du FN, ils s'exposent à l'accusation de pactiser avec le diable, dont ne manquera pas de faire usage la gauche ; s'ils refusent cet appui, ils feront la preuve de ce qu'avance depuis des années le FN à propos de la « fausse droite », complice de la gauche. Dans les deux cas, le résultat net sera un affaiblissement du poids de la droite modérée au sein de l'ensemble du vote de droite et donc un gain pour le FN. De l'autre côté, Jean-Marie Le Pen, président du parti depuis sa fondation en 1972, leader historique de l'extrême droite dans ses bonnes comme dans ses mauvaises années, toujours tenu en marge des milieux politiques « respectables », qui privilégie la poursuite d'une stratégie du « seul contre tous », du « ni droite ni gauche » et ne manque pas une occasion de saboter les rapprochements opérés par son lieutenant, à coups de petites phrases antisémites ou fascisantes qui confirment le caractère « infréquentable » du FN. L'opposition entre les deux lignes politiques se double d'un contraste presque caricatural quant au principe d'autorité qu'incarne chacun des deux hommes : à l'autorité charismatique du tribun Le Pen, qui se traduit par son imposante présence physique et la puissance de son verbe, répond l'autorité bureaucratique du technocrate Mégret, fondée sur l'appareil qu'il a construit, mais dépourvue des traits qui font la force de Le Pen. L'affrontement, largement médiatisé, conduira à la scission du parti en 1999 et à la création du Mouvement national républicain (MNR), avec à sa tête Bruno Mégret, que suivent plus de la moitié des secrétaires départementaux et des conseillers régionaux.

Comment comprendre cette attitude de Le Pen qui peut sembler à première vue irrationnelle ? Quel politicien ne souhaiterait pas voir son parti et son influence croître ? En fait, la réaction de Le Pen s'explique assez bien si l'on tient compte du fait qu'une forte implantation du FN accompagnée d'alliances plus ou moins formelles avec d'autres forces politiques aurait entraîné (et avait en fait déjà commencé à entraîner, dans le sillage des victoires municipales et régionales) une série de conséquences organisationnelles : bureaucratisation et formalisation du fonctionnement du parti, développement plus avant de l'appareil aux mains de Mégret et de son équipe, multiplication des bases de pouvoir locales indépendantes du centre du parti, réallocation des ressources et restructuration des finances du parti, etc. En fait, c'est toute la distribution du pouvoir au sein du parti qui devait être revue si celui-ci souhaitait voir son influence s'étendre, se consolider et se pérenniser. Or, tout cela ne pouvait que menacer l'emprise centralisée, et jusqu'alors incontestée, de Le Pen sur son parti (et notamment sur les finances de celui-ci). La redéfinition des équilibres internes, qui devait se traduire par la position de Mégret comme tête de liste aux élections européennes de 1999 (Le Pen ayant été condamné en 1998 à deux ans d'inéligibilité pour avoir bousculé une candidate socialiste), aurait annoncé la couleur de l'après-Le Pen et réglé du coup le problème de la succession. Dans cette perspective, mieux valait pour Le Pen de continuer à régner sans partage sur un parti un peu plus petit, au risque d'une scission qui entraînerait un recul provisoire, mais que sa popularité personnelle permettrait de combler. L'aggravation du conflit interne, le tour personnel et vicieux qu'il a pris, ont été largement voulus par Le Pen (que ses adversaires n'allaient pas ménager non plus) et confirment que le FN était à ses yeux d'abord et avant tout son fonds de commerce personnel, que la position d'éternel opposant au « système », n'ayant de comptes à rendre à personne, lui convenait mieux que celle d'un chef politique responsable, prêt à participer à l'exercice du pouvoir et à faire les compromis qui s'imposent[23].

Quel avenir pour le FN ?

Les résultats obtenus par le Front national et le MNR de Mégret aux élections européennes de 1999, respectivement 5,7 % et 3,3 %, ont amené plusieurs observateurs à conclure à la fin inéluctable des succès de

---

23. Pour un récit détaillé de cet épisode, voir le livre du journaliste Renaud DÉLY, *Histoire secrète du Front national*, Paris, Grasset, 1999.

l'extrême droite. Il s'agissait, si l'on combine les scores des deux partis (9 %), de la pire performance de celle-ci dans ce type d'élection depuis l'émergence du FN et d'un recul perceptible dans toutes les régions de France[24]. Si une bonne partie de l'appareil et des élus locaux avait suivi Mégret lors de la scission, il était clair que Le Pen était parvenu à conserver l'appui d'une plus large fraction de l'électorat et des militants de base. Aux élections municipales et cantonales de 2001, le FN et le MNR ont eu passablement de difficulté à occuper le terrain aussi densément qu'ils avaient pu le faire en 1995, même si dans les cantons renouvelés, ils ont obtenu respectivement 7,1 % et 3 %. Mais l'impact de la scission était impitoyable et, selon toute apparence, le déclin ne pouvait que se poursuivre.

Si les élections de 2002 ont effectivement enregistré la marginalisation du MNR (avec 2,3 % au premier tour des présidentielles, puis 1,1 % aux législatives), la performance historique de Le Pen au premier tour et le score obtenu aux législatives témoignent d'une persistance qui semble avoir démenti la mort annoncée de l'extrême droite. En fait, les malaises sur lesquels prend appui le FN (insécurités liées aux difficultés à contrôler l'entrée sur le territoire national, à la délinquance, aux fluctuations économiques et à l'intégration européenne) sont plus présents aujourd'hui qu'ils ne l'étaient lors de son émergence il y a 20 ans. Mais la capacité du FN à offrir, sous la forme d'une protestation contre le « système », une traduction politique à ces malaises, tient largement au charisme de son chef et à son habileté à fédérer une extrême droite toujours guettée par la dispersion. Une fois la « divine surprise » du 21 avril passée, les luttes pour la succession du chef ont repris, divisant

24. Rappelons les résultats : 10,9 % en 1984, 11,8 % en 1989 et 10,5 % en 1994.

cette fois ceux qui s'étaient rangés derrière Le Pen lors de la scission de 1999. Alors que l'harmonisation entre les calendriers électoraux autorise cinq années de pouvoir exclusif et ininterrompu d'une droite modérée plus unie que dans le passé et ferme la fenêtre d'opportunité que pouvait représenter la cohabitation, l'extrême droite française se retrouve privée de la perspective stratégique qu'avait réussi à articuler un Mégret incapable de séduire l'électorat et, pour son chef charismatique, la course tire inévitablement à sa fin. Pour l'extrême droite française, il est fort possible que le cycle des succès électoraux s'achève.

2

Autriche : ascension et chute de Jörg Haider

Après trois années mouvementées d'un gouvernement de coalition entre la droite et l'extrême droite autrichiennes, les élections nationales du 24 novembre 2002 ont marqué la fin brutale d'un cycle. Alors que les conservateurs du Parti populaire (ÖVP) menés par Wolfgang Schüssel et les nationalistes-populistes du Parti de la liberté (FPÖ) dirigé depuis 1986 par Jörg Haider avaient obtenu chacun 26,9 % des suffrages lors des élections précédentes du 3 octobre 1999 (le FPÖ devançant même l'ÖVP par quelque 400 voix), l'appui aux premiers est spectaculairement remonté à 42,3 % tandis que le vote en faveur des seconds s'est littéralement effondré à 10,2 %. Si les résultats combinés obtenus par les deux partis sont à peu près les mêmes d'une élection à l'autre (53,8 % ou 2 487 759 voix en 1995 contre 52,4 % ou 2 457 583 voix en 1999), le rapport de forces entre les deux a changé du tout au tout. En fait, les deux tendances les plus marquantes de l'évolution électorale en Autriche depuis 15 ans, le déclin de l'ÖVP et la montée concomitante du FPÖ, ont été renversées d'un coup, chacun des partis retrouvant son niveau d'appui du milieu des années 1980. Le Parti socialiste (SPÖ), qui avait de son côté reçu 33,1 % des voix en 1999, a augmenté sa part du vote à 36,9 %, mais il a toutefois perdu le statut de premier parti qui était le sien depuis près de trente ans. Pour ce qui est des deux autres partis, les Verts ont obtenu le meilleur score de leur histoire avec 9 % des voix, tandis que le Forum libéral, un parti issu d'une scission au sein du FPÖ en 1993, a été pratiquement éliminé avec moins de 1 % de voix (alors qu'il en avait obtenu 6 % lors de sa première campagne électorale, en 1994).

Le péril qui avait agité les chancelleries européennes et suscité nombre de vocations antifascistes et d'« entrées en résistance » s'étant dissipé, comme il se doit en démocratie, par le recours aux urnes, il apparaît opportun de revenir sur l'histoire de ce cycle et d'essayer de rendre compte de la montée puis de la chute du FPÖ. Ici encore, et de façon encore plus nette que dans le cas de la France, ce sont, bien plus que les fantômes du passé, la *structure du jeu politique* autrichien et la *logique de la situation*, plus précisément le blocage politique résultant de la domination exercée pendant un demi-siècle sur la société autrichienne par les « rouges » (socialistes) et les « noirs » (conservateurs ou sociaux-chrétiens désignés ainsi par référence à la couleur de l'habit ecclésiastique), qui peuvent nous permettre de comprendre les succès et l'échec — définitif? — de Jörg Haider et de son parti.

Le système politique autrichien et le duopole rouge-noir

La République fédérale d'Autriche est un pays d'environ huit millions d'habitants répartis dans neuf provinces (*Länder*). Bien que le président de la République (actuellement : Thomas Klestil, de l'ÖVP) soit élu au suffrage universel, le pouvoir exécutif appartient à un gouvernement responsable devant le Parlement national (*Nationalrat*) et dont le chef porte le titre de chancelier (actuellement : Wolfgang Schüssel). Le gouvernement est donc formé par le parti ou la coalition de partis susceptible d'obtenir l'appui d'une majorité parlementaire. La constitution d'un gouvernement reste toutefois l'initiative du président : c'est ce dernier qui demande au chef d'un groupe parlementaire, pas nécessairement celui comptant le plus de députés, de tenter de former un gouvernement susceptible de recueillir la confiance de la Chambre. Les députés sont élus au scrutin proportionnel, mais un seuil minimum de 4 % est exigé pour pouvoir disposer d'une représentation parlementaire. Une seconde Chambre, le Conseil fédéral (*Bundesrat*), représente les provinces : ses membres sont élus par les parlements des *Länder* et leur distribution est fonction de la population respective de chacun de ceux-ci.

Depuis sa création en 1945 jusqu'en 1999, la Seconde République autrichienne a été dominée par deux grandes forces politiques issues des années d'avant-guerre, le Parti socialiste (SPÖ — depuis 1991, Parti social-démocrate) et le Parti populaire (ÖVP). Après deux années d'un gouvernement « provisoire » puis « national » auquel participèrent les communistes du KPÖ (rappelons que l'Autriche demeura sous occupation militaire soviéto-occidentale jusqu'en 1955), le SPÖ et l'ÖVP formèrent en 1947 un gouvernement de « grande coalition » qui se maintint jusqu'en 1966. Pendant les deux décennies suivantes, le pays fut gouverné successivement par l'ÖVP seule (1966-1970), puis par le SPÖ du chancelier Bruno Kreisky (gouvernement minoritaire — s'appuyant sur le FPÖ — de 1970 à 1971, majoritaire de 1971 à 1983, puis de « petite coalition » — avec le FPÖ — jusqu'en 1986). De 1986 à 1999, c'est le retour à la « grande coalition » SPÖ-ÖVP, jusqu'aux élections de novembre qui voient les « bleus » du FPÖ supplanter l'ÖVP au rang de seconde force politique du pays et participer de nouveau au gouvernement, mais cette fois dans une position apparemment avantageuse. Ensemble (pendant trente-six ans) ou séparément (pen-

Tableau 1
Autriche : partis et gouvernements — 1945-1999

Années	Composition du gouvernement
1945-1947	ÖVP + SPÖ + KPÖ
1947-1966	ÖVP + SPÖ (grande coalition)
1966-1970	ÖVP (majoritaire)
1970-1971	SPÖ (minoritaire)
1971-1983	SPÖ (majoritaire)
1983-1986	SPÖ + FPÖ (petite coalition)
1986-1999	SPÖ + ÖVP (grande coalition)

dant dix-huit ans), les socialistes et les conservateurs auront donc exercé sur le pays un véritable duopole, comme on peut le voir dans le tableau 1.

Par comparaison, les autres forces politiques de l'Autriche d'après-guerre apparaissent presque marginales, au moins jusqu'aux années 1990. Le tableau 2 illustre la fortune électorale des partis politiques autrichiens ayant déjà bénéficié d'une représentation parlementaire au cours des dix-sept élections tenues entre 1945 et 1999.

Comme on le voit, les communistes (KPÖ) qui recueillaient autour de 5 % des voix au cours de la décennie qui suit la fin de la guerre devaient perdre leur représentation parlementaire lors des élections de 1959 et voir leur soutien s'amenuiser au fil des ans. Malgré un appui électoral de 11 % aux élections de 1949 et 1953, la Ligue électorale des indépendants (WdU), un regroupement passablement hétéroclite de pan-germanistes, d'ex-nazis mais également d'anciens adversaires du nazisme qui ne se reconnaissaient pas dans les deux principales forces politiques du pays, demeura exclue du gouvernement de « grande coalition » formé par les socialistes et les sociaux-chrétiens. Minée par les divisions, la Ligue se transforma en Parti de la liberté (FPÖ) en 1955-1956, mais les succès électoraux de ce parti

Tableau 2
Résultats électoraux
selon les partis politiques 1945-1999 (%)[1]

Années	SPÖ	ÖVP	(WdU)/FPÖ	Verts	LIF	KPÖ
1945	44,6	49,8	—	—	—	5,4
1949	38,7	44,0	11,7	—	—	5,1
1953	42,1	41,3	11,0	—	—	5,3
1956	43,1	46,0	6,5	—	—	4,4
1959	44,8	44,2	7,7	—	—	3,3
1962	44,0	45,4	7,0	—	—	3,0
1966	42,6	48,4	5,4	—	—	0,4
1970	48,4	44,7	5,5	—	—	1,0
1971	50,0	43,1	5,5	—	—	1,4
1975	50,4	43,0	5,4	—	—	1,2
1979	51,0	41,9	6,1	—	—	1,0
1983	47,7	43,2	5,0	3,3	—	0,7
1986	43,1	41,3	9,7	4,8	—	0,7
1990	42,8	32,1	16,6	4,8	—	0,6
1994	34,9	27,7	22,5	7,3	6,0	0,3
1995	38,1	28,3	21,9	4,8	5,5	0,3
1999	33,1	26,9	26,9	7,4	3,7	0,5

devaient demeurer bien modestes (autour de 5 %) jusqu'au seuil des années 1990. Avec des appuis de l'ordre de plus de 20 % aux élections de 1994 et 1995, le FPÖ pouvait toutefois défier le duopole SPÖ-ÖVP et espérer faire de la politique autrichienne un jeu « à trois » : l'élection de 1999 devait lui donner — provisoirement — raison. Les Verts, apparus lors des élections de 1983, ont vu leurs appuis fluctuer, mais sans jamais atteindre la barre des 10 %. Quant au Forum libéral (LIF), créé au début des années 1990 par des ex-cadres du FPÖ hostiles au tournant populiste et xénophobe incarné par Haider, il

1. Source : http ://www.parties-and-elections.de/austria2.html#1945 (page consultée le 12 mars 2004).

Tableau 3
Résultats combinés SPÖ et ÖVP et taux de participation[2]

Années	SPÖ + ÖVP	Taux de participation
1945	94,4	94,3
1949	82,7	96,8
1953	83,4	95,8
1956	89,0	96,0
1959	89,0	94,2
1962	89,4	93,8
1966	90,9	93,8
1970	93,1	92,7
1971	93,2	92,4
1975	93,4	92,9
1979	92,9	92,2
1983	90,9	92,6
1986	84,4	90,5
1990	74,8	86,0
1994	62,6	81,9
1995	66,4	86,0
1999	60,0	80,4

a vu, sous l'effet de la polarisation engendrée par la montée de ce dernier, littéralement fondre ses appuis, de 6 % en 1994 à 1 % en 2002, ce qui l'éliminait du même coup de la scène parlementaire.

Le caractère massif du duopole exercé par le SPÖ et l'ÖVP apparaît clairement lorsqu'on combine, comme dans le tableau 3, les résultats obtenus par les deux grands partis.

Si l'on excepte les élections de 1945, menées dans le contexte particulier de la défaite et à l'occasion desquelles les anciens membres du parti nazi étaient privés du droit de vote, on peut voir comment l'appui aux deux

2. Données électorales officielles et calculs de l'auteur.

partis croît de 1949 à 1975, passant de 82,7 % à 93,4 %, pour se mettre alors à décroître progressivement, jusqu'à atteindre la borne inférieure de 60 % lors de l'élection fatidique de 1999. L'importance du magistère exercé par le SPÖ et l'ÖVP apparaît d'autant plus décisive que la participation électorale est très élevée : pour toute la période (trente-sept ans) où l'appui combiné aux deux partis dépasse 80 %, soit de 1949 à 1986, la participation électorale demeure au-dessus de 90 %. Ce n'est qu'à partir du moment où le duopole commence à s'effriter que la participation commence à fléchir : de 1986 à 1999, le résultat combiné des deux partis chute de 84 % à 60 %, alors que le taux de participation décline de 90 % à 80 % (un taux au demeurant fort honorable et qui ferait l'envie de bien des démocraties).

L'Autriche est par ailleurs un pays où, tout au long de l'après-guerre, les deux grands partis politiques occupent une place très importante dans la vie de tous les jours. Au début des années 1990, lorsque le FPÖ commence à faire des gains électoraux importants, les deux grands partis comptaient ensemble plus d'un million de membres, dans un pays dont la population totale ne s'élevait qu'à 8 millions de personnes ; et encore cela correspond-il à un reflux par rapport aux décennies 1960, 1970 et 1980. À l'époque du chancelier Kreisky, le SPÖ comptait en effet jusqu'à 10 % de la population totale dans ses rangs (près de 721 000 membres en 1979[3]). Pour sa part, l'ÖVP, un parti au membership indirect fondé sur une série d'organisations (regroupant respectivement les fermiers, les entrepreneurs et commerçants, les employés et ouvriers, les femmes, les citoyens âgés et les jeunes), pouvait compter au début des années 1980 sur quelque 550 000 à 700 000

---

3. Anton PELINKA, *Austria. Out of the Shadow of the Past*, Boulder (Col.), Westview Press, 1998, p. 84.

membres[4]. Cela faisait probablement de l'Autriche l'un des pays où la proportion de la population appartenant à un parti politique était la plus élevée. Ces deux grands partis jouaient en outre un rôle majeur dans l'intégration sociale. Un grand nombre d'institutions, depuis les syndicats et les coopératives jusqu'aux clubs de sportifs et de philatélistes en passant par les banques, sont structurées autour de l'affiliation partisane. Dans la République autrichienne, on était (ou, du moins, on pouvait être) socialiste ou social-chrétien « du berceau à la tombe ».

Mais surtout, dès le lendemain de la guerre, les « rouges » et les « noirs », qui s'étaient combattus les armes à la main durant les années 1920 et 1930, sont convenus d'une sorte de grand compromis historique permettant d'éviter la répétition de la guerre civile. Le « partenariat social » mis en place d'un commun accord devait conduire à l'édification d'un État-providence développé, où la discussion permanente entre syndicats et patronat permettrait de limiter les conflits sociaux. Du même coup, les socialistes acceptaient de ne pas remettre en cause, dans un pays massivement catholique, le concordat signé avec le Vatican durant les années 1930, ce qui assurait par exemple le maintien de l'enseignement religieux dans les écoles publiques. Ce partenariat social a fait de l'Autriche une démocratie consensuelle, où les décisions se prennent à l'occasion de discussions entre les partenaires, dont les deux principaux sont la Chambre du commerce et de l'industrie et la Fédération des syndicats : il existe notamment depuis 1957 une commission paritaire pour la fixation

4. Reinhard HEINISCH, *Populism, Proporz, Pariah. Austria Turns Right. Austrian Political Change, its Causes and Repercussions*, New York, Nova Science Publishers, 2002, p. 60. Le caractère décentralisé de l'ÖVP et l'enchevêtrement qui résulte du fait que l'on peut y adhérer directement ou à travers une des ligues qui le composent rend les statistiques sur le nombre de ses membres plus difficiles à établir avec précision.

des prix et des salaires, dont l'existence n'est pas prévue par la Constitution, mais qui est appelée à prendre bien des décisions qui, ailleurs, sont du ressort du Parlement. Les débats menés au sein de la commission ne sont pas rendus publics et celle-ci ne prend de décisions que sur la base de l'unanimité[5]. Cela fait de l'Autriche ce que le politologue A. Lipjhart appelle une démocratie « consociationnelle », par opposition aux démocraties « compétitives » (de type britannique, français ou canadien), où un parti peut imposer son programme s'il détient une majorité parlementaire[6]. Plutôt qu'à une alternance entre partis ou entre coalitions de partis (gauche et droite en France, par exemple), on assiste généralement à la constitution d'une grande coalition entre les forces dominantes (pendant 36 des 54 années allant de 1945 à 1999, comme on l'a vu) ; et lorsqu'un de ces partis détient une majorité de sièges lui permettant d'exercer seul le pouvoir (comme ce fut le cas pour les conservateurs de 1966 à 1970, puis des socialistes de 1971 à 1983), les institutions consensuelles en place lui interdisent de procéder à des réformes importantes[7]. La prévalence du *statu quo* sur le changement est également illustrée par le maintien, jusque dans les années 1990, du monopole de l'État sur les ondes : la première station de radio privée ne verra le jour qu'en 1995 ; quant à la télévision, il faudra attendre 1997 pour qu'une

---

5. Bernard MANIN, « L'Autriche », in BERGOUNIOUX, Alain et Bernard MANIN, *Le régime social-démocrate*, Paris, Presses universitaires de France, 1989, p.99-119.

6. Arend LIJPHART, *Democracy in Plural Societies : A Comparative Exploration*, New Haven (Conn.), Yale University Press, 1977.

7. Selon R. Mitten, entre 1966 et 1983, période où le pays n'était *pas* gouverné par la « grande coalition », mais par un seul des grands partis, 72 % des lois adoptées par le Parlement le furent à l'*unanimité*. Voir Richard MITTEN, « Austria all Black and Blue : Jörg Haider, the European Sanctions and the Political Crisis in Austria », in WODAK, Ruth et Anton PELINKA (dir.), *The Haider Phenomenon in Austria*, New Brunswick (N.J.) et Londres, Transaction Publishers, 2002, p. 187.

libéralisation y advienne ! Plusieurs journaux sont également largement subventionnés par l'État.

Les deux partis ont également convenu entre eux d'un système de désignation proportionnelle des postes politiques et administratifs. Durant les périodes de grande coalition, si le chancelier est « rouge », le vice-chancelier sera « noir », ou vice-versa. Au sein du gouvernement, où les portefeuilles sont distribués en fonction du poids des partis dans l'électorat, tout ministre se voit doublé d'un secrétaire d'État provenant du parti adverse. Un comité de coalition paritaire constitue le véritable centre du pouvoir. Ce système désigné sous le nom de « Proporz » est appliqué à la direction des entreprises publiques et à l'ensemble des postes administratifs. Or, comme l'Autriche procède à un grand nombre de nationalisations au lendemain de la guerre, cela fait beaucoup de postes à combler. Le « Proporz », dont l'application pratique s'étend très loin (jusqu'à la nomination, par exemple, des directeurs d'école), a évidemment eu pour effet de bloquer à tous ceux qui n'étaient pas membres de l'un ou l'autre des deux grands partis l'accès à bien des postes : la possession d'un « livret » de l'ÖVP ou du SPÖ est devenue pour ainsi dire, dans un pays où le secteur public est très étendu, une condition d'ascension sociale. Certains auteurs ont vu dans l'Autriche le cas-type d'un pays où les partis politiques se sont constitués en un « cartel » : dans un tel système, on trouve un petit nombre de partis qui bénéficient d'une aide financière directe de l'État (sous forme par exemple de subvention calculée en fonction du pourcentage de votes obtenu lors des dernières élections) et jouent à l'égard des citoyens un rôle d'intermédiaire dans la dispensation des services fournis par l'État (et, dans un État-providence développé comme celui de l'Autriche, ces services correspondent à une part importante des besoins des citoyens). Bien entendu, ces partis en place s'entendent implicitement pour bloquer l'accès d'autres forces politiques aux avantages dont eux-mêmes bénéficient[8].

La montée du FPÖ

Pendant quelque quatre décennies, les deux grands partis autrichiens sont parvenus à obtenir un appui électoral très large. Toutefois, mis à part les communistes, deux groupes d'électeurs ne se reconnaissaient pas dans ce duopole : d'une part, ceux qu'on appelle les « nationaux-allemands », anciens sympathisants du nazisme et nostalgiques de l'incorporation de l'Autriche dans une grande Allemagne, et, d'autre part, ceux qui voyaient avec méfiance les nationalisations et la mise en place d'un État-providence (et qui se désignaient comme des libéraux). Dans un système électoral où, bien que proportionnelle, l'obtention d'une représentation parlementaire était conditionnelle à l'atteinte d'un seuil, il était normal que ces groupes concluent une alliance. La WdU, puis, à partir de 1956, le FPÖ incarneront cette alliance, dominée tantôt par l'élément national-allemand, tantôt par l'élément plus libéral. L'existence de la WdU (puis du FPÖ) sera d'ailleurs considérée d'un œil favorable par les socialistes qui pouvaient ainsi diviser la droite et, n'ayant pas de concurrence à gauche du fait de l'insignifiance des communistes, maximiser leur poids au sein de la coalition noirs-rouges.

Jusqu'au milieu des années 1980, ces « mécontents » ne parviendront à rallier qu'une part modeste de l'électorat. Les résultats de l'élection de 1986 témoignent de l'amorce d'un déclin du duopole rouge-noir. En effet, le FPÖ, repris en main par un jeune politicien issu du

---

8. Sur la notion de parti de cartel, la référence classique est l'article de Richard S. KATZ et Peter MAIR, « Changing Models of Party Organization and Party Democracy : the Emergence of the Cartel Party », *Party Politics*, vol. 1, n° 1, 1995, p. 5-28.

courant national-allemand, Jörg Haider, double pratiquement son appui (de 5 % à 9,7 %), tandis que les Verts, qui contestent également la mainmise exclusive des deux grands partis et l'immobilisme qui en résulte, obtiennent presque 5 %. Dans la situation qui est celle de l'Autriche, celle d'un État-providence développé, d'une économie où le secteur public occupe une place importante et d'un système politique dans lequel les sociaux-démocrates constituent le parti dominant, il est toutefois compréhensible que la critique de l'ordre de choses existant trouve plus d'espace à droite qu'à gauche. Le tournant des années 1980 a en effet été marqué, dans l'ensemble des pays occidentaux, par un retour en force des idées associées au libéralisme économique et un recul de la faveur très grande dont jouissait depuis la guerre l'idée d'une nécessaire intervention de l'État pour réguler les fluctuations économiques. Sur le plan politique, ce virage idéologique s'est traduit notamment par la « révolution thatchérienne » en Grande-Bretagne à partir de 1979, la victoire de Ronald Reagan aux présidentielles américaines de 1980 et la renonciation des socialistes français à leur politique économique initiale. Ce nouveau discours libéral pouvait être assez aisément mobilisé au service de la contestation du *statu quo*. Comme Le Pen et le Front national en France à partir du milieu des années 1980, Haider et le FPÖ décidèrent de combiner à leur rhétorique nationaliste un éloge du capitalisme entrepreneurial. Les conservateurs de l'ÖVP, en raison de leur participation au duopole et à la mise en place et au fonctionnement quotidien du système, n'étaient pas dans une position commode pour le critiquer. Dans le contexte particulier de l'Autriche et vu la position d'« exclu du système » qui était celle du FPÖ, il était inévitable que la critique de l'étatisme se concentre pour l'essentiel autour de celle du « *Proporz System* ».

Le caractère contestataire et neuf du FPÖ de Haider s'est manifesté également, sur le plan de la forme, pourrait-on dire, dans l'utilisation qu'il faisait des techniques de marketing politique « à l'américaine », jusqu'alors très peu utilisées en Autriche. Les deux grands partis, qui disposaient de larges assises et d'une ramification profonde au sein de la société, se confinaient largement, pour communiquer avec les électeurs, aux méthodes traditionnelles des assemblées publiques et des journaux. Officiellement, la télévision et la radio d'État étaient neutres, mais le FPÖ reprochait aux deux grands partis (qui les contrôlaient) de les utiliser à des fins partisanes et de défavoriser, par l'existence du monopole, l'expression de points de vue autres, par exemple le sien. Dans cette situation, le FPÖ choisit de centrer sa publicité sur son chef, qui démontra une habileté remarquable de communicateur, tant par l'image jeune, sportive, anticonformiste et « cool » qu'il projetait que par sa capacité à se placer au centre de l'attention médiatique à la faveur de déclarations « politiquement incorrectes[9] ». Contrairement aux grands partis qui encadraient un membership énorme, le FPÖ était par ailleurs un parti aux effectifs limités (environ 45 000 en 1996) mais dont le ratio électeurs/membres était beaucoup plus élevé (plus de 20 électeurs pour un membre aux élections de 1994 et 1995, contre 3 à 4 électeurs pour un membre dans le cas du SPÖ[10]).

Les succès se multiplièrent : Haider devint en 1989 gouverneur de Carinthie (son parti y ayant obtenu 29 % des voix aux élections provinciales) et le FPÖ obtint la

---

9. Melanie A. SULLY, *The Haider Phenomenon*, New York, Columbia University Press, 1997. Pour une description des techniques de communication et de médiatisation déployées par Haider, voir Andre GINGRICH, « A Man for All Seasons : An Anthropological Perspective on Public Representation and Cultural Politics of the Austrian Freedom Party », in WODAK et PELINKA (dir.), *op. cit.*, p. 67-94.

10. Calculs de l'auteur, d'après les données de SULLY, *op. cit.*, p. 198.

deuxième place à Vienne en 1991. À partir du moment où Haider en prit la tête, son parti se développa sur l'ensemble du territoire, avec certes des variations, mais nulle part ne constituait-t-il, à la veille des élections de 1999, une force négligeable, comme l'indiquent les résultats obtenus par le parti lors des élections provinciales. Le tableau 4, qui couvre, pour chacune des provinces, la période allant de la dernière élection provinciale tenue avant l'accession de Haider au poste de chef du parti à la dernière précédant les élections nationales de 1999, illustre de façon très claire l'attrait croissant qu'exerçaient alors le parti et son chef sur les électeurs autrichiens. Entre l'accession de Haider à la tête du parti et les élections de 1999, le FPÖ a participé au gouvernement dans six des neuf provinces de l'Autriche (en sus de la Carinthie, dont Haider était gouverneur, la Basse-Autriche, la Haute-Autriche, le Burgenland, le Vorarlberg et Vienne[11]).

Si la critique du « *Proporz* » et la dénonciation des scandales qui accompagnent inévitablement un tel système de patronage politique constituent un élément important de la propagande du FPÖ, l'attention portée à ce parti au-delà des frontières de l'Autriche tient sans doute beaucoup plus à son discours à l'endroit des étrangers et à son rapport trouble avec le passé nazi.

L'Autriche, petit pays situé à la frontière du bloc communiste, a constitué un lieu de transit et d'asile pour de très nombreux réfugiés d'Europe tout au long des années de guerre froide (la révolution hongroise en 1956, l'écrasement du Printemps de Prague en 1968 et l'instauration de la loi martiale en Pologne en 1981 ont notamment conduit à des vagues importantes de réfugiés dont plusieurs sont passés — et certains sont restés — en Autriche). De plus, elle a fait appel périodiquement à des

11. Le système politique prévoit, dans plusieurs provinces, une répartition proportionnelle des portefeuilles.

Tableau 4. Résultats obtenus par le FPÖ aux élections provinciales[12]

Province	Année	Vote FPÖ (%)
Basse-Autriche	1983	1,7
	1988	9,4
	1994	12,0
	1998	16,1
Burgenland	1982	3,0
	1987	7,3
	1991	9,7
	1996	14,6
Carinthie	1984	16,0
	1989	29,0
	1994	33,3
	1999	42,1
Haute-Autriche	1985	5,0
	1991	17,7
	1997	20,6
Salzbourg	1984	8,7
	1989	16,4
	1994	19,5
	1999	19,6
Styrie	1981	5,1
	1986	4,6
	1991	15,5
	1995	17,2
Tyrol	1984	6,0
	1989	15,6
	1994	16,1
	1999	19,6
Vienne	1983	5,4
	1987	9,7
	1991	22,5
	1996	27,9
Vorarlberg	1984	10,5
	1989	16,1
	1994	18,4
	1999	27,4

12. Données d'après Fritz PLASSER, Peter A. ULRAM et Franz SOMMER (dir.), *Das österreichische Wahlverhalten*, Vienne, ZAP, 2000, p. 444-461.

« travailleurs invités », dont la durée du séjour était limitée et pour qui l'accès à la citoyenneté autrichienne était très difficile (la Turquie et la Yougoslavie ont été à cet égard deux pourvoyeurs importants). Depuis la chute du Mur de Berlin, l'Autriche, comme d'ailleurs l'ensemble des pays européens, a dû faire face à un accroissement du nombre de demandeurs d'asile et d'immigrants clandestins (dont le nombre est, par définition, difficile à estimer), en provenance tout autant des pays de l'ex-bloc communiste que d'autres régions du monde. En Autriche comme ailleurs, cette situation, couplée à l'insécurité résultant des transformations économiques mondiales et de leurs effets sur les services dispensés par l'État-providence, a créé une situation propre au développement de que certains désignent comme un « *welfare chauvinism* », c'est-à-dire une volonté de protéger ces services en restreignant leur accès aux seuls « nationaux ». Comme en France, ces inquiétudes d'une portion de l'électorat ont été perçues par l'ensemble des partis politiques, qui ont cherché à les traduire sous diverses formes. Comme le Front national, lc FPÖ, de par sa position d'*outsider* de droite du jeu politique établi, a fait le pari qu'il pouvait rallier un segment de l'électorat qui lui avait jusque-là échappé en offrant une version particulièrement musclée de ce « *welfare chauvinism* » et en pratiquant sur ce point une surenchère à l'égard des autres partis. Lorsque ceux-ci réagissaient au discours du FPÖ en durcissant leur position sur l'immigration, cela ne pouvait avoir pour effet que de légitimer la position de Haider et le faire apparaître du même coup comme le politicien le plus conséquent et le plus « franc », comme « celui qui dit tout haut ce que les autres pensent tout bas ». L'adoption d'un discours xénophobe par le FPÖ heurta les éléments plus libéraux du parti, qui formèrent alors le Forum libéral, principalement en réaction à ce discours. Mais ces départs furent largement compensés par une percée spectaculaire au sein de l'électorat ouvrier, jusque-là largement dominé par le SPÖ. Selon une analyse du vote publiée en 2000, la proportion des ouvriers cols bleus déclarant avoir voté pour le FPÖ est passée de 10 % en 1986 à 47 % en 1999 (alors que, pour le SPÖ, elle déclinait de 57 % à 35 %[13]). De tels gains ne pouvaient évidemment que confirmer, aux yeux du FPÖ et de son chef, la justesse du tournant qui avait été pris.

Le chef du FPÖ entretient un rapport particulier avec le passé nazi de l'Autriche en raison de ses propres origines (ses parents étaient eux-mêmes des nazis actifs et convaincus) et de la tension opposant le sentiment national-allemand (suivant lequel l'Autriche n'est au fond qu'une partie de l'Allemagne) et un nationalisme proprement autrichien (illustré par le slogan : « Autriche d'abord », plus en phase avec la réalité géopolitique et plus facile à conjuguer avec les craintes liées à l'immigration). Entre le passé nazi de l'Autriche et le FPÖ, il existe une filiation plus que symbolique : cela tient, on l'a vu, au fait que ce parti s'est constitué comme le refuge de ceux qui se reconnaissaient mal dans les deux grands partis, ce qui était évidemment le cas de ceux qui avaient perdu la guerre. Bien entendu, nombre d'anciens nazis se sont discrètement réinsérés dans le jeu politique à travers les deux grands partis et cela a donné lieu à quelques scandales au fil des ans : chez les conservateurs, le cas le plus célèbre est celui de l'ex-secrétaire général des Nations unies et ex-président de la République Kurt Waldheim ; chez les socialistes, ce titre revient sans doute au psychiatre Heinrich Gross, membre du parti nazi dès 1932 et directeur d'un programme d'euthanasie à Vienne pendant la guerre, qui devint l'un des politiciens « rouges » les plus respectés

13. Fritz PLASSER et Peter A. ULRAM. « The Changing Austrian Voter », http ://www.zap.or.at/e202006.html, p. 19 (page consultée en février 2003).

de l'après-guerre. Mais Haider et son cercle se sont signalés depuis quinze ans par un certain nombre de déclarations volontairement ambiguës et par un refus systématique de critiquer en bloc la période 1938-1945. Ici encore, on peut voir à l'œuvre une stratégie d'entrepreneurs politiques soucieux de « fidéliser » un segment restreint de l'électorat (les personnes âgées qui perçoivent comme un blâme immérité la condamnation ferme de leur activité à cette époque). Certes, les déclarations de Jörg Haider sur cette période ont à chaque fois suscité un véritable tollé et peuvent apparaître contre-productives : il a dû par exemple renoncer à son poste de gouverneur de Carinthie à la suite de propos favorables à la « politique de l'emploi » du IIIe Reich. Mais on constate qu'elles n'ont pas, dans l'ensemble, freiné son ascension : Haider devait par exemple recouvrer son poste de gouverneur à la faveur des élections provinciales « triomphales » (42,1 % du vote) de 1999. À l'inverse, on peut penser qu'une condamnation ferme et sans ambages par Haider des crimes nazis et de la participation autrichienne à ces crimes lui aurait coûté le soutien de ce segment de son électorat, sans lui procurer en échange l'appui d'autres segments, qui jusqu'ici ne l'ont pas appuyé et ne l'appuieraient pas de toute façon parce qu'ils s'opposent également à de nombreux autres aspects de son parti et de son programme[14].

En fait, si l'on examine, à partir des déclarations du chef et d'autres leaders du parti ainsi des documents programmatiques et autres, ce qu'on pourrait appeler « l'offre idéologique globale » du FPÖ, le premier terme qui vient à l'esprit est celui d'éclectisme, tant on y trouve à boire et à manger. À côté des propositions restrictives

14. Reinhard Heinisch estime pour sa part qu'il faut plutôt voir dans l'attitude de Haider vis-à-vis du passé nazi de l'Autriche le résultat de sa difficulté à rompre avec le milieu et la culture dans lesquels il a été éduqué (*op. cit.*, p. 90).

en matière d'immigration, des commentaires peu subtils visant à flatter la xénophobie, des déclarations savamment formulées sur la période nazie et sur l'attitude à adopter à son égard, bref de tout ce qui peut apparaître aisément vulnérable aux accusations de racisme et de philo-nazisme, le FPÖ prend acte de l'évolution culturelle de l'électorat. Ainsi son programme accorde-t-il une place importante à l'environnement (il parle d'un « contrat écologique inter-générationnel ») et se prononce-t-il contre la peine de mort, une proposition nettement atypique de la part d'un parti d'extrême droite. Mais, surtout, conscient de la valeur intangible que revêt aujourd'hui l'idée de démocratie aux yeux de l'électorat, le FPÖ, comme l'ensemble des forces politiques populistes de droite aujourd'hui (le Parti réformiste/Alliance canadienne au Canada, par exemple), conduit sa critique du « système en place » dans un langage rigoureusement démocratique. Ce n'est pas la démocratie qu'il critique, mais plutôt le dévoiement que lui font subir les deux grands partis, à travers un « para-gouvernement » sans base légale (lire : les institutions du partenariat social) et en s'accaparant à leur profit les ressources tant du secteur public que du secteur privé. Plus précisément, il oppose aux défauts de la démocratie représentative les remèdes de la démocratie plébiscitaire. Les réformes qu'il propose ne visent pas à réduire la démocratie, mais à renforcer la protection et la participation des citoyens : adoption d'une charte des droits du citoyen et des devoirs de l'État, extension du droit d'initiative et du recours au référendum, extension de l'élection directe à de nombreux postes jusqu'ici pourvus par nomination, renforcement des pouvoirs de vérification des comptes de l'État, plus forte autonomie des provinces, etc.[15].

---

15. *Program of the Austrian Freedom Party*, adopted October 30, 1997, http://www.fpoe.or.at/ (page consultée en février 2000).

Tableau 5
Poids de l'ÖVP dans le duopole, 1949-1999

Année	ÖVP/SPÖ + ÖVP
1949	53,2 %
1953	49,5 %
1956	51,7 %
1959	49,7 %
1962	50,8 %
1966	53,0 %
1970	48,0 %
1971	46,3 %
1975	46,0 %
1979	45,1 %
1983	48,0 %
1986	48,9 %
1990	42,9 %
1994	44,2 %
1995	42,6 %
1999	44,8 %

L'attrait exercé par cette combinaison idéologique sur une portion de l'électorat de chacun des deux grands partis se révéla important, mais c'est surtout l'ÖVP qui en fit les frais en raison de la position qu'il occupait sur l'échiquier politique. Parti ralliant les électeurs traditionnellement conservateurs et partenaire dominant au cours des années 1950 et 1960, l'ÖVP a cédé la première place au SPÖ au tournant des années 1970 et n'a par la suite jamais pu rattraper le terrain perdu. Même s'il parvient presque à rétablir sa position vis-à-vis du SPÖ en 1986 (avec 41,3 % contre 43,1 % à ce dernier), l'ÖVP se retrouve le partenaire dominé de la nouvelle grande coalition et ce rapport de forces défavorable s'accentue d'élection en élection. La véritable rupture de l'équilibre se situe en 1990, soit après l'arrivée de Haider à la tête du

Tableau 6
Résultats aux élections nationales, 1990-1999

Année	SPÖ	ÖVP	FPÖ	Verts	LIF
1990	42,8	32,1	16,6	4,8	—
1994	34,9	27,7	22,5	7,3	6,0
1995	38,1	28,3	21,9	4,8	5,5
1999	33,1	26,9	26,9	7,4	3,7

FPÖ, comme l'illustre le tableau 5, qui présente la part du vote conservateur sur l'ensemble du vote noir-rouge.

À partir de ce moment, on peut dire que s'instaure, à côté de la traditionnelle compétition ÖVP-SPÖ dont l'objet était de déterminer leur poids respectif dans le duopole, une nouvelle compétition entre ÖVP et FPÖ, dont l'objet est de déterminer qui est à même de représenter l'aspiration au changement. Dans cette course, le parti se situant hors du duopole apparaît nécessairement plus crédible et les résultats en font foi. Comme le montre le tableau 6, qui compare les résultats des cinq principales forces politiques pour les quatre élections de 1990 à 1999, même si les gains du FPÖ (+10,3 %) ne se font pas tous au détriment de l'ÖVP (-5,2 %) et même si le déclin de ce dernier est en termes relatifs moins important que celui du SPÖ (l'ÖVP perd 17 % de ses appuis de 1990 à 1999, alors que le SPÖ perd 23 % des siens), c'est l'ÖVP qui se retrouve au terme de ce processus dans la plus fâcheuse posture, nez à nez avec le FPÖ (et même légèrement derrière si l'on ajoutait une décimale).

Le gouvernement ÖVP-FPÖ 1999-2002

Au lendemain de l'élection de novembre 1999, les options devant lesquelles se retrouvait l'ÖVP étaient les suivantes : (1) chercher à reconstituer la « grande coalition » avec le SPÖ ; (2) laisser l'initiative à ce dernier ;

(3) former un gouvernement de coalition avec le FPÖ. La première option n'était guère alléchante : comme on vient de le voir, toutes les élections consécutives au retour du gouvernement de grande coalition ont été marquées par une baisse de l'appui à l'ÖVP ; si la volatilité électorale et la désaffection à l'endroit des grands partis ont également touché le SPÖ, c'est l'ÖVP qui en a le plus souffert. Il était sans doute téméraire de tenter le diable. La seconde option pouvait apparaître risquée : le SPÖ avait déjà gouverné en « petite » coalition avec le FPÖ (de 1983 à 1986) ; et même si la venue de Haider à la tête du FPÖ avait mis un terme à l'expérience, il était clair que le SPÖ n'avait pas jusque-là manifesté d'allergie profonde au philo-nazisme de ce parti[16]. Cette seconde option fut toutefois rapidement bloquée lorsque les socialistes ont déclaré leur intention de se constituer en opposition. Restait la troisième option. Elle allait certes provoquer une tempête (et celle-ci fut beaucoup plus grosse que prévu), mais elle plaçait l'ÖVP dans une situation qui n'était pas trop mauvaise : Haider, qui venait tout juste d'être réélu gouverneur de Carinthie, ne pourrait faire partie du gouvernement ; l'ÖVP, en raison de sa longue expérience des rouages de l'État, était en bonne position pour dominer rapidement le gouvernement de coalition. Du point de vue du SPÖ, les options étaient identiques. La reconduction de la grande coalition fut explorée, puis rejetée parce qu'elle impliquait de trop fortes concessions à l'endroit de l'ÖVP. Il semble que l'idée d'une coalition avec le FPÖ fut discrètement explorée, de même que celle d'un gouvernement minoritaire : mais aucune de ces voies ne fut jugée praticable. Laisser l'initiative à l'ÖVP, en espérant qu'il se brûle les ailes en s'associant avec le FPÖ, apparaissait comme le choix le plus rationnel. Du point de vue du FPÖ, le choix consistait à rester dans l'opposition

---

16. Sous Kreisky, notamment, qui ne cachait pas son amitié avec Friedrich Peter, ancien SS alors chef du FPÖ.

en espérant devenir le premier parti d'Autriche à l'occasion de nouvelles élections à venir assez tôt ou à briser le tabou qui existait à son endroit en proposant ses services à l'un des deux autres partis. Les sondages réalisés en novembre et décembre 1999 pouvaient conforter les espoirs du FPÖ dans les résultats d'une prochaine élection, mais cela constituait un pari risqué. La perspective d'une participation au gouvernement était bien alléchante pour un parti qui était ostracisé depuis 1986 et elle incitait Haider à bien des concessions à l'endroit de celui qui accepterait de devenir son partenaire. Le 1er février 2000, l'ÖVP et le FPÖ, qui avaient entrepris des pourparlers sans requérir l'autorisation du président Klestil, s'entendirent sur un pacte de coalition[17].

Cet accord déclencha de vives réactions. Dès le 31 janvier, pressentant l'issue des négociations entre les deux partis, les quatorze autres gouvernements de l'Union européenne annoncent qu'ils refuseront tout contact officiel avec un gouvernement autrichien incluant le FPÖ. Plusieurs manifestations, dont certaines donnent lieu à des incidents violents, se déroulent à Vienne pour protester contre la participation de l'extrême droite au gouvernement. D'autres pays, dont le Canada et les États-Unis, réagissent à la situation en réduisant leurs contacts bilatéraux. Le 3 février, le président Klestil fait signer aux chefs des deux partis, Schüssel et Haider, une déclaration réaffirmant leur engagement à l'endroit des valeurs démocratiques et reconnaissant la responsabilité de l'Autriche dans les « crimes monstrueux » du nazisme. Jamais un gouvernement autrichien ne s'était jusque-là prononcé dans des termes aussi clairs sur cette question. Après avoir écarté de la liste de noms proposée par

---

17. Il s'agit ici d'une reconstruction rationnelle de la structure des choix devant laquelle se trouvaient les acteurs. On trouvera un récit détaillé des négociations visant à la formation du gouvernement dans HEINISCH, *op. cit.*, p. 229 et suivantes.

Schüssel certains membres du FPÖ s'étant dans un passé récent signalés par des propos particulièrement xénophobes, Klestil accepte le nouveau gouvernement, dans lequel chacun des partis obtient la moitié des sièges. Si la chancellerie échoit à Schüssel, le poste de vice-chancelier est confié à Susanne Riess-Passer, bras droit de Haider auquel son poste de gouverneur de Carinthie interdit l'entrée au gouvernement. Parmi les ministères de premier plan confiés au FPÖ, notons les Finances, la Justice, les Affaires sociales et la Défense.

À partir de ce moment, l'histoire du gouvernement ÖVP-FPÖ épouse deux trames : normalisation des rapports avec le reste de l'Europe ; marginalisation progressive du FPÖ. Dès le départ, le nouveau gouvernement autrichien, qui ne manque pas de munitions pour répondre au boycott dont il est l'objet (il laisse entendre qu'il pourrait adopter une attitude de blocage au sein de l'Union européenne ou tenir un plébiscite sur les sanctions), décide de réagir de manière mesurée. Lorsque, à l'été 2000, certains des quatorze trouvent une manière de battre en retraite sans perdre la face, le chancelier Schüssel accueille de manière positive la décision de ses voisins européens d'envoyer en Autriche trois experts pour y évaluer la situation en matière des droits de la personne. La visite des trois « sages » donne lieu à un rapport dans lequel ils se déclarent satisfaits de la situation, quoique toujours inquiets de certains comportements et attitudes du FPÖ ; le ministre de la Justice Dieter Bœhmdorfer (FPÖ) y est nommément critiqué. Jugeant que le maintien des sanctions pourrait avoir au bout du compte un effet contre-productif, ils recommandent leur levée, ce qui sera fait dès septembre 2000. Le cordon sanitaire aura tenu sept mois seulement[18].

---

18. Pour un récit détaillé des tractations au sujet des sanctions, voir également HEINISCH, *ibid.*, p. 237-259.

L'expérience du FPÖ au gouvernement génère dès le début d'énormes tensions au sein du parti. D'abord, la mainmise de Haider sur le parti s'amenuise progressivement. Dénoncé *urbi et orbi*, il annonce, fin février 2000, qu'il renoncera à ses fonctions de chef du FPÖ afin de calmer le jeu. Le 1er mai, il quitte officiellement son poste de chef du parti, mais demeure gouverneur de Carinthie. Susanne Riess-Passer, vice-chancelière, lui succède et se déclare totalement loyale à Haider. Cette situation ne peut toutefois qu'accentuer l'éloignement entre Haider et l'aile parlementaire de son parti. Le secrétaire général du FPÖ, Peter Sichrovsky, démissionne à son tour, reprochant à son ancien patron d'être « psychiquement incapable » d'effectuer une mue démocratique comparable à celle de l'Italien Gianfranco Fini, chef des (ex-)néo-fascistes. Tout au long des deux ans et demi que dure le gouvernement ÖVP-FPÖ, les divergences entre l'ex-chef et les ministres FPÖ apparaissent fréquemment au grand jour, par exemple lors des discussions sur le budget au cours de l'été 2002, où les ministres FPÖ sont contraints d'accepter le report des baisses d'impôts promises par leur parti. En septembre 2002, Haider reprend la tête du parti, à la suite de la démission de Riess-Passer. Trois jours plus tard, il se retire à nouveau, se déclarant incapable de faire adopter par le parti les politiques qu'il préconise. Mathias Reichhold, ministre des Transports, lui succède, mais il démissionne à son tour un mois plus tard. Herbert Haupt, un autre ministre, accepte de diriger le parti au moment où la campagne électorale s'amorce. Après la débâcle du 24 novembre, Haider déclare vouloir démissionner de son poste de gouverneur de Carinthie, puis revient sur cette décision. Mais il est clair qu'il ne domine plus un FPÖ sérieusement éclopé.

En sus des luttes de pouvoir internes, la participation du FPÖ au gouvernement est marquée par une série de crises et de reculs électoraux lors des élections provinciales. Sur un certain nombre de questions majeures (réacteur nucléaire de Temelin en République tchèque dont le FPÖ réclamait la fermeture, réductions d'impôts), le chancelier Schüssel imposera ses vues, envenimant ainsi les rapports entre Haider et les ministres FPÖ. Des huit membres originaux du gouvernement que compte le parti au début février 2000, plus de la moitié démissionneront au fil des mois, tantôt à la suite de scandales (le ministre de la Justice Krueger quitte 25 jours seulement après son entrée en fonction, lorsqu'on lui reproche d'avoir financé un magazine d'extrême droite au moyen de fonds du FPÖ), tantôt pour assumer les défaites électorales (ce que fait le ministre des Infrastructures Michael Schmid au lendemain des élections de Styrie), tantôt à la suite de conflits avec Haider (comme ce sera le cas pour la vice-chancelière Riess-Passer et le ministre des Finances Karl-Heinz Grasser en septembre 2002). Aux élections provinciales de Styrie, tenues en octobre 2000 sur fond d'allégations d'espionnage politique et d'usage illégal d'informations policières confidentielles portées à l'encontre de Haider, le FPÖ obtient 12,4 % des voix, en recul de près de 5 points sur son résultat de 1995 (17,2 %). En décembre 2000, des élections sont tenues au Burgenland et le FPÖ obtient 12,6 %, en recul de 2 points sur son résultat de 1996 (14,6 %). En mars 2001, lors des élections de Vienne, le FPÖ obtient cette fois 20,2 % des voix, en recul de près de 8 points sur son résultat de 1996 (27,9 %). Lorsque le 9 septembre 2002, au lendemain de la démission de Riess-Passer et de Grasser, le chancelier Schüssel annonce son intention de tenir des élections nationales, le bilan et les perspectives ne sont guère encourageants pour le FPÖ. Pour ajouter l'insulte à l'injure, Schüssel réussit à convaincre Grasser, ancienne étoile montante du FPÖ dont les rapports avec

Haider ont souvent été tumultueux, à se présenter comme candidat indépendant, en promettant de le renouveler dans son poste de ministre des Finances au lendemain de l'élection.

L'élection nationale de 2002

Le résultat de l'élection de novembre 2002 constitue, après le « réalignement » de 1999 qui avait vu, conformément aux espoirs du FPÖ, le passage d'une situation où le jeu politique était largement dominé par deux partis à une situation où ce jeu comprenait désormais trois partenaires, un second et brutal réalignement dont les caractéristiques majeures sont : (1) le rétablissement de l'ÖVP dans la position dominante qu'il avait perdue en 1970 et son retour à un niveau d'appui qu'il n'avait pas connu depuis 1983 (42,3 %, soit +15,4 % par rapport à 1999), et, (2) pour le FPÖ, la débâcle la plus spectaculaire enregistrée par un parti politique autrichien depuis 1945 (10,2 %, soit - 16,7 % par rapport à 1999). Assiste-t-on pour autant à un retour au *statu quo ante* ? Les analyses préliminaires du vote semblent suggérer plutôt un approfondissement de certaines tendances de fond et, chez les électeurs, des changements d'allégeance inédits. Ainsi, la proportion d'électeurs ayant voté en 2002 pour un autre parti qu'en 1999 (22 %) confirme la tendance à la « volatilité » des électeurs autrichiens, c'est-à-dire leur émancipation à l'égard des fidélités partisanes traditionnelles[19]. Par ailleurs, l'ÖVP enregistre des gains spectaculaires dans des groupes qui lui étaient

---

19. Lors des élections nationales tenues de 1979 à 1999, les proportions d'électeurs déclarant avoir voté pour un autre parti que celui qu'ils avaient appuyé lors de l'élection précédente étaient de 9 % (1979), 10 % (1983), 16 % (1986), 17 % (1990), 19 % (1994), 22 % (1995) et 18 % (1999). Fritz PLASSER et Peter A. ULRAM, « The Changing Austrian Voter », *loc. cit.*, p. 10. Les chiffres pour 2002 proviennent de Fritz PLASSER et Peter A. ULRAM, « Analyse der Nationalratswahl 2002. Muster, Trends und Entscheidungsmotive », Vienne, 25 novembre 2002, http://www.zap.or.at/download/NRW2002.pdf (page consultée en février 2003).

auparavant fermés : chez les ouvriers cols bleus, traditionnelle chasse gardée des socialistes (ils recueillaient 65 % des votes de ce groupe en 1979) conquise progressivement par le FPÖ (de 4 % à 47 % entre 1979 et 1999), les conservateurs recueillent maintenant 34 % d'appuis (contre 12 % en 1999) ; chez les moins de 30 ans, parmi lesquels, avec 35 %, le FPÖ arrivait en tête en 1999, c'est cette fois l'ÖVP qui remporte la palme (33 %) ; enfin, chez les femmes actives, l'ÖVP est également le premier choix (40 % contre 26 % en 1999[20]). Ces résultats peuvent s'interpréter comme la confirmation tant du déplacement vers la droite du centre de gravité du jeu politique autrichien que de l'érosion des fidélités socio-politiques qui assuraient sa stabilité et sa prévisibilité.

Comment, si on lit dans les résultats de l'élection de 2002 un approfondissement de tendances présentes tout au long des années 1990 et traduites notamment par le réalignement de 1999, expliquer l'apparent paradoxe que constitue l'implosion du FPÖ ? En fait, comme il a été dit plus haut, un retour de la « grande coalition » au lendemain des élections de 1999, c'est-à-dire le maintien des conditions qui avaient assuré la montée du FPÖ, n'aurait pu que perpétuer celle-ci et conduire éventuellement à une polarisation entre SPÖ et FPÖ. Le pari « faustien » de Schüssel[21], celui d'affaiblir le FPÖ en l'insérant dans une coalition gouvernementale à un moment où les ressources dont bénéficiait l'ÖVP, du fait de sa profonde intégration dans les rouages bureaucratiques, pouvaient encore lui assurer une position dominante, semble avoir réussi au-delà de ses espérances. Sur toutes les questions où les programmes des deux partis se heurtaient, la position de l'ÖVP l'a emporté, ce qui a provoqué au sein du FPÖ des tensions

20. Ces données proviennent des enquêtes à la sortie des urnes de Plasser et Ulram (voir note précédente).

21. L'expression est de HEINISCH, *op. cit.*, p. 76.

qui l'ont profondément miné. Cette combinaison inédite, en dépit de l'opprobre international qu'elle n'a pas manqué de soulever, a libéré l'ÖVP de l'hypothèque que constituait, pour sa crédibilité en tant que parti susceptible d'incarner les aspirations de l'électorat conservateur, sa position de partenaire dominé dans la « grande coalition[22] ».

---

22. Après plusieurs semaines de discussion, c'est à nouveau une coalition de l'ÖVP et du FPÖ qui forme le gouvernement en février 2003. La vice-chancellerie échoit au leader intérimaire du FPÖ Herbert Haupt, mais, au lieu de la parité formelle qu'il avait obtenue en 1999, son parti se retrouve avec seulement le tiers des portefeuilles, les Finances (toujours aux mains du « traître » Grasser) et la Défense lui échappant. La descente aux enfers du FPÖ ne s'en poursuit pas moins : aux élections locales de Carinthie, tenues le 9 mars 2003, le FPÖ a recueilli 19,1 % des voix, comparativement à 26 % en 1997 ; trois semaines plus tard, aux élections provinciales de Basse-Autriche, le parti revenait dans les eaux où il stagnait avant sa percée nationale de 1986, passant de 16,1 % (1998) à un maigre 4,5 % ; le 28 septembre 2003, lors des élections provinciales de Haute-Autriche et du Tyrol, le FPÖ a obtenu respectivement 8,4 % (contre 20,6 % en 1997) et 8,0 % des voix (contre 19,6 % en 1999). Les élections provinciales du 7 mars 2004, à Salzbourg et en Carinthie, appellent un jugement plus contrasté : dans le premier cas, le FPÖ a vu ses appuis fondre de 19,6 % (1999) à 8,7 %, mais en Carinthie, fief de Haider, il s'est maintenu de façon aussi inattendue que spectaculaire (avec même une augmentation à la marge : 42,5 % contre 42,1 % en 1999).

3

Silvio, Gianfranco, Umberto et les autres : Italie, à droite toute !

Aux élections législatives italiennes de mai 2001, la coalition de centre droit dirigée par le magnat des médias Silvio Berlusconi a obtenu une très nette victoire, l'assurant d'une majorité absolue de sièges à la Chambre des députés (368 sur 630) et au Sénat (176 sur 315). Portant le nom de Maison des libertés (*Casa delle libertà*), cette coalition regroupait *Forza Italia* (FI ; littéralement : En avant, Italie), le parti dirigé par Berlusconi lui-même, l'Alliance nationale (*Alleanza nazionale* — AN), parti successeur du néo-fasciste *Movimento sociale italiano* (MSI) et présidé par Gianfranco Fini, la Ligue du Nord (*Lega Nord* — LN), un parti prônant l'autonomie de l'Italie du nord et dont le chef s'appelle Umberto Bossi, ainsi que deux petits partis, le Centre démocrate chrétien (*Centro cristiano democratico* — CCD) et les Démocrates chrétiens unis (*Cristiani democratici uniti* — CDU), formant eux-mêmes une petite coalition joliment nommée la Fleur blanche (*Biancofiore*). Cette victoire faisait suite à sept années durant lesquelles Berlusconi, après avoir accédé au poste de président du Conseil (ou premier ministre) de manière surprenante en 1994 et l'avoir perdu au bout de seulement huit mois, s'était imposé progressivement comme le chef incontestable de l'opposition aux trois gouvernements de centre gauche qui s'étaient succédés de 1996 à 2001. La coalition perdante, qui portait le nom d'*Ulivo* (l'Olivier), regroupait les Démocrates de gauche (*Democratici di sinistra* — DS), parti successeur du *Partito comunista italiano* (PCI), la *Margherita* (la Marguerite !), regroupement de personnalités centristes dirigé par l'ex-maire de Rome et candidat de la coalition au poste de premier ministre Francesco Rutelli, le *Girasole* (le Tournesol !!!), issu de l'union des Socialistes démocratiques et des Verts, et les Communistes italiens (*Comunisti italiani* — CI), un autre avatar du PCI. Bien que la différence séparant les deux coalitions dans le vote majoritaire n'ait été que de 1,8 %, la nature du système électoral, c'est-à-dire la méthode par laquelle les votes sont traduits en sièges, et la logique des alliances électorales ont contribué à procurer à Berlusconi et à ses alliés un avantage qui leur permettra probablement de disposer d'une majorité stable pendant cinq ans. Depuis plusieurs années empêtré dans une série de procès pour corruption et malversations, le nouveau président du Conseil, qui est aussi l'homme le plus riche du pays, annonça son intention de réviser la Constitution du pays de manière à mieux protéger les personnalités politiques de l'attention « inquisitrice » des magistrats[1]. Les pires craintes de ses adversaires pour l'intégrité de la démocratie et de la justice italiennes s'en trouvaient confirmées et des caricaturistes n'hésitèrent pas à représenter Berlusconi en nouveau Mussolini : si la comparaison est outrancière, on doit reconnaître qu'au cours de son premier passage au gouvernement, en 1994, Ber-

1. Ce qui s'est fait au début de l'été 2003 avec l'adoption, par les deux Chambres, d'une loi taillée sur mesure pour Berlusconi et garantissant l'immunité contre toute poursuite judiciaire, pendant la durée de leur mandat, aux détenteurs des cinq fonctions les plus élevées de l'État (le président de la République, le président du Conseil, de même que les présidents des deux chambres et celui de la Cour constitutionnelle). La Cour constitutionnelle a, depuis, invalidé cette loi.

lusconi s'était distingué par ce que l'on désignera charitablement comme une méconnaissance tant de la séparation constitutionnelle des pouvoirs que de la notion de conflit d'intérêts. La présence à ses côtés de Fini, qui, encore au début des années 1990, voyait dans le *Duce* le plus grand homme politique du 20e siècle, et de Bossi, xénophobe tonitruant, n'avait évidemment rien pour rassurer.

Comme on peut le constater déjà, le système politique italien n'a pas la simplicité de celui de l'Autriche. Sans entrer pour le moment dans la description du mécanisme électoral (nous y reviendrons plus loin), mentionnons d'entrée de jeu que le retour de Berlusconi au pouvoir était hautement prévisible. En 1994, la coalition dirigée par Berlusconi avait obtenu une nette victoire sur celle du centre gauche, mais elle s'était brisée à la suite de la rapide défection de Bossi et de la Ligue du Nord. En 1996, *Forza Italia* et l'Alliance nationale avaient maintenu leur coalition, mais la Ligue faisant bande à part, la droite divisée, en dépit d'un score global de 51,1 % pour le vote majoritaire à la Chambre (40,3 % pour la coalition du Pôle des libertés et 10,8 % pour la Ligue), fut défaite par l'*Ulivo*, qui recueillit 45,3 % des voix, grâce notamment à une entente avec *Rifondazione comunista* (Refondation communiste — RC), un troisième avatar de l'ex-PCI. En dépit des circonstances qui ont pu favoriser le centre gauche en 1996 et permettre l'accès au gouvernement des ex-communistes, il est clair que le centre de gravité de l'électorat italien s'est maintenu tout au long de cette période, pour ce qu'on appelle les élections « politiques » à tout le moins, un peu à la droite du centre et que les résultats de l'élection de 2001 constituent une traduction plus adéquate de cette réalité[2]. Le tableau 1, qui présente les

2. En Italie, on désigne comme « politiques » les élections nationales visant à combler le Sénat et la Chambre des députés. On désigne comme

Tableau 1. Chambre des députés, vote pour les sièges attribués selon le scrutin majoritaire ; élections de 1994, 1996 et 2001[3]

1994		1996		2001	
Pôle des libertés/ du bon gouvernement	42,9 %	Pôle des libertés	40,3 %	Maison des libertés	45,4 %
		Ligue du Nord	10,8 %		
Progressistes	34,4 %	Olivier	45,3 %	Olivier	43,7 %

suffrages obtenus par les coalitions pour les sièges obtenus au vote majoritaire à la Chambre des députés lors des élections de 1994, 1996 et 2001, illustre clairement ce phénomène.

Il n'en reste pas moins que, depuis quelque dix à douze ans, la politique italienne nous a menés de surprise en surprise, avec l'effondrement de ses deux principaux partis de gouvernement (la Démocratie chrétienne et le Parti socialiste), une transformation majeure des deux plus importants partis occupant les extrêmes du continuum (le Parti communiste et le Mouvement social italien) et l'émergence de nouvelles forces destinées à devenir des joueurs de premier plan (la Ligue du Nord et *Forza Italia*). L'objectif de ce chapitre est de rendre compte de ces transformations et de la situation à laquelle elles ont conduit. Dans un premier temps,

« administratives » les élections communales, provinciales et régionales : comme ces dernières sont tenues suivant un calendrier rotatif et selon des règles électorales différentes, le rapport de forces au niveau local peut être différent de celui enregistré au niveau national.

3. Source : http://www.cronologia.it/elezio2.htm (page consultée le 12 mars 2004). Depuis 1994, 75 % des sièges à la Chambre des députés sont attribués suivant un scrutin majoritaire uninominal, ce qui incite les partis à entrer en coalition. Les 25 % restants sont attribués suivant le scrutin proportionnel (avec un seuil minimum de 4 %) et les partis sont donc incités à s'y présenter séparément. Ce système électoral hybride sera décrit un peu plus loin.

nous examinerons, successivement, les effets résultant (1) de la fin de la guerre froide, (2) de l' « implosion » qu'a connue le système politique à l'occasion de la vague d'enquêtes et de procès pour corruption que l'on désigne souvent sous les noms de *Mani pulite* (mains propres) ou de *Tangentopoli* (ville des pots-de-vin) et (3) des changements apportés au système électoral. Puis, en conformité avec l'orientation particulière de cet ouvrage, nous examinerons la trajectoire des trois principales forces politiques de la droite italienne, *Forza Italia*, l'Alliance nationale et la Ligue du Nord. Enfin, nous essaierons de lier ces éléments en suggérant que la situation actuelle s'explique par la dynamique de bipolarisation partielle qu'ont imprimée à un système politique jusque-là bloqué et fragmenté les changements énumérés plus haut.

Le système politique italien et la fin de la guerre froide

Le trait le plus légendaire du système politique italien est probablement son instabilité gouvernementale : depuis 1945, le pays en est à son 59e gouvernement, pour une durée de vie d'un peu moins d'un an en moyenne. Lorsqu'on observe la composition de ces gouvernements, on constate toutefois que celle-ci n'a guère varié pour une longue période : un parti, la Démocratie chrétienne (DC), est arrivé bon premier à toutes les élections tenues de 1948 à 1992, a fourni le gros des ministres et des présidents du Conseil tout au long de cette période et gouverné en coalition avec une série de plus petits partis : le Parti socialiste (PSI), le Parti social-démocrate (PSDI), le Parti républicain (PRI) et le Parti libéral (PLI). Parmi ceux-ci, seul le PSI est parvenu à se démarquer nettement au cours des années 1980 : sous la direction de Bettino Craxi, il fut en mesure, bien qu'obtenant moins de la moitié des voix de la DC, de devenir le pivot de la coalition et d'imposer pour un temps son chef au poste de président du Conseil[4]. Les changements de gouvernement survenus au cours des quinze législatures qu'a connues le pays au cours de cette période tiennent donc aux rivalités entre les partis de la coalition dominante et bien souvent aux luttes entre courants au sein de ces partis et non à l'alternance « normale » entre gouvernement sortant et opposition. Au lendemain de la Seconde Guerre mondiale et en réaction à l'expérience autoritaire des années du fascisme, il fut en effet convenu entre les partis « antifascistes » d'adopter un système électoral caractérisé par la proportionnalité presque pure : cela favorisa indubitablement le pluralisme, mais nuisit grandement à la formation de gouvernements dotés d'une majorité sûre et d'un mandat clair[5].

Bien sûr, cette situation était également due au fait qu'en face de ces majorités fluctuantes mais très ressemblantes, on trouvait le plus fort parti communiste d'Europe : dans le contexte de rivalité planétaire de la guerre froide, il était évidemment hors de question qu'un parti étroitement lié à Moscou puisse accéder ou participer au gouvernement d'un pays membre de l'OTAN. De plus, l'engagement du Parti communiste italien à l'égard des formes démocratiques était loin d'être limpide : dans l'hypothèse où ce parti accédait au pouvoir à la suite d'une élection, serait-il possible de l'en chasser de la même manière ? Que devait-on entendre par les « réformes de structure » dont il se faisait le champion ? L'expérience des pays voisins d'Eu-

---

4. Entre 1945 et 1994, le poste de président du Conseil a été occupé par un politicien de la DC sauf pour les périodes de juin 1981 à novembre 1982 (Spadolini — PRI), d'août 1983 à avril 1987 (Craxi — PSI) et de juin 1992 à avril 1993 (Amato — PSI), soit pendant 88 % de la période.

5. Paul GINSBORG, *L'italia del tempo presente. Familia, società civile, Stato 1980-1996*, Turin, Einaudi, 1998, p. 261. Les règles déterminant l'élimination des plus petits partis étaient complexes, mais on estime que 2 % constituait à peu près le seuil au-delà duquel un parti était susceptible d'être représenté.

rope de l'Est (l'Italie avait une frontière commune avec la Yougoslavie, l'Albanie et la Hongrie étaient toutes proches) ne plaidait guère en sa faveur[6]. Le système politique italien de l'après-guerre peut donc être décrit, suivant l'expression consacrée, comme un système *bloqué*. Il en résultait une curieuse situation d'*instabilité sans alternance* : le principal parti de gauche était par avance exclu de toute majorité et, plutôt que d'être encouragé à se comporter comme une opposition « responsable » au *gouvernement*, il était incité à se présenter comme une alternative au *système*. La coalition majoritaire, de son côté, n'était guère incitée non plus à se comporter en gouvernement « responsable », menacé d'être renvoyé dans l'opposition à la suite d'un jugement négatif des électeurs. En dépit de la position très ferme qu'il adopta à l'encontre du terrorisme d'extrême gauche des Brigades rouges au cours des « années de plomb » et de la distance idéologique qu'il prit progressivement à l'endroit de l'URSS à partir de la crise polonaise de 1980-1981, le PCI ne pouvait constituer un remplaçant plausible au gouvernement en place tant qu'existait une division du monde en deux blocs et que n'était pas clarifié son attachement aux institutions démocratiques. Cela dit, l'exclusion pratiquée à l'encontre d'une participation communiste au gouvernement n'empêchait pas une collaboration entre celui-ci et le PCI, notamment en ce qui a trait à l'élaboration des projets de lois en comités parlementaires. Certains auteurs estiment d'ailleurs qu'en dépit même de cette exclusion formelle

---

6. Selon le politologue Gianfranco Pasquino, « si les communistes avaient obtenu les votes et trouvé les alliés politiques », ils auraient pu faire partie d'un gouvernement italien, nonobstant le mécontentement qu'auraient éprouvé l'Église catholique, les alliés européens de l'Italie et le gouvernement des États-Unis. Toutefois, « pour obtenir ces votes et trouver ces alliés, les communistes auraient dû procéder à des réformes de leur parti et de leur politique qu'ils décidèrent consciemment de ne pouvoir se permettre ». Gianfranco PASQUINO, *Il sistema politico italiano. Autorità, Istituzioni, Società*, Bologne, Bononia University Press, 2002, p. 19.

du principal parti d'« opposition », la démocratie italienne peut être décrite comme « consociationnelle[7] ». Le « compromis historique » proposé par les communistes en 1976, s'il avait été accepté par la DC, aurait en tout cas conduit à cela, puisqu'il s'agissait alors pour les communistes non pas de remplacer la DC, dans une logique d'alternance, mais bien de gouverner *avec elle*, dans une logique de majorité sans opposition.

La chute du Mur de Berlin, de l'Union soviétique et la fin de la guerre froide allaient évidemment changer la situation. Mais, ironie de l'histoire, l'événement permettant de lever l'hypothèque qui bloquait tout autant l'accès du Parti communiste au gouvernement que son évolution en parti d'opposition responsable marquait en même temps l'effondrement de son modèle de référence. Les principaux dirigeants du parti étaient conscients de la nécessité d'opérer un tournant radical et le déclarèrent ouvertement dès novembre 1989, mais la nature de ce tournant demeurait obscure. En janvier, le 20e Congrès du PCI fut le dernier : lui succéda le *Partito democratico della sinistra* (PDS — Parti démocratique de la gauche), mais plus du quart des délégués s'y opposèrent et créèrent de leur côté un parti nommé Refondation communiste. Les élections législatives de 1992 devaient confirmer le déclin que connaissaient les communistes depuis plusieurs années, même si celui-ci n'était pas comparable au sort que subissaient leurs homologues français[8]. Cette résorption de l'appui au

7. Un jugement porté par exemple par le père de ce concept, A. LIJPHART, dans *Patterns of Democracy. Government Forms and Performance in Thirty-Six Countries* (New Haven et Londres, Yale University Press, 1999) et contesté par PASQUINO, *op. cit.*, p. 19.

8. Le sommet électoral du PCI fut atteint en 1976 : 34,4 % des voix (contre 38,7 % à la Démocratie chrétienne). L'érosion fut par la suite constante : 30,4 % en 1979, 29,9 % en 1983, 26,6 % en 1987 et 16,1 % en 1992 (mais 5,6 % à Refondation communiste). Les élections de 1994 et de 1996 ont semblé donner raison aux partisans du changement avec des remontées à 20,4 %, puis 21,1 % pour le PDS. Mais Refondation communiste s'est redressé

PCI et la transformation de ce dernier avaient également pour effet, autre ironie de l'histoire, d'enlever à la Démocratie chrétienne et à ses alliés une de leurs fonctions, celle de rempart contre le danger communiste, et donc d'introduire un jeu dans le système jusque-là bloqué. Mais, pour ces partis, le très proche avenir recelait des surprises bien plus désagréables.

Corruption : l'effondrement du système des partis

On peut commodément dater du 17 février 1992 le début de la tempête qui emporta l'essentiel du système des partis italiens et marqua la fin de la 1re République. Ce jour-là, la police arrêta Mario Chiesa, cadre intermédiaire du Parti socialiste et directeur de la plus grande maison d'hébergement pour personnes âgées de Milan, au moment où il recevait un pot-de-vin de la part d'un entrepreneur en blanchisserie. Le chef du PSI, Bettino Craxi, le désavoua péremptoirement. L'enquête révéla que Chiesa était beaucoup plus riche que ses revenus officiels ne le laissaient croire et, après un temps, celui-ci révéla aux juges d'instruction qui le questionnaient l'existence d'un vaste système de financement illégal des partis politiques. Les entrepreneurs désireux d'obtenir des contrats pour la fourniture de services publics savaient qu'ils devaient d'abord verser une commission importante. L'argent versé, en violation de la loi sur le financement des partis politiques, allait vers ceux-ci et leur permettait d'augmenter leur influence, la plupart des intermédiaires ne négligeant toutefois pas d'en prélever une part au passage. Pour compenser la perte que représentait le paiement de la commission, les

---

également avec 6,0 %, puis 8,6 %. Les élections de 2001 marquent toutefois un reflux au niveau de 1992, avec 16,6 % pour les Démocrates de gauche (nouveau nom du PDS) et 5,0 % pour Refondation (les Communistes italiens, issus d'une scission de Refondation, font 1,7 %).
Source : http://www.cronologia.it/elezio2.htm (page consultée le 12 mars 2004).

entrepreneurs pouvaient, après avoir obtenu le contrat, plaider une hausse des coûts et ainsi refiler la facture au contribuable qui se trouvait à financer les partis deux fois, puisque la loi sur le financement des partis politiques prévoyait déjà une aide financière de l'État aux partis, calculée en fonction des voix obtenues par chacun lors des élections précédentes. Les partis avaient ainsi les moyens de multiplier les charges publiques et d'y placer leurs fidèles, augmentant d'autant leur influence sur l'administration de l'État, un système que l'on a désigné sous le nom de *lottizzazione* (littéralement : lotissement, comme si l'État était un terrain dont on pouvait répartir les parcelles). Ce système de financement illégal devait toutefois se dérégler au début des années 1990 : la nécessité de l'assainissement des finances publiques imposée par l'intégration européenne se combina à l'appétit de plus en plus vorace des partis et des intermédiaires pour rendre de plus en plus difficile et incertaine la compensation des entrepreneurs en bout de ligne ; certains de ceux-ci, exaspérés, allèrent trouver la police. Grâce aux révélations de Chiesa, on apprit que l'ensemble des partis de la coalition gouvernementale (mais aussi le Parti communiste dans les municipalités qu'il contrôlait) étaient partie prenante de ce système, se partageant les pots-de-vin et n'ayant donc pas intérêt à se dénoncer mutuellement. L'enquête des magistrats de Milan leur permit de remonter la filière et de mesurer l'étendue de la corruption : en mars 1993, plus de 1000 politiciens et entrepreneurs, dans 30 villes différentes, étaient sous enquête ; l'immunité parlementaire de 75 députés et sénateurs avait été levée ; en février 1994, deux ans après l'arrestation de Chiesa, le nombre de députés et de sénateurs sous enquête s'élevait à 499. Les plus hautes sphères des partis de la coalition furent atteintes et les démissions se succédèrent. Particulièrement spectaculaires furent les mises en cause du chef socialiste Craxi, dont on découvrit la fortune à l'étranger et qui, une fois son immunité parlementaire levée et sous le coup de 46 accusations, s'enfuit en Tunisie au début de 1994, et du démocrate chrétien Giulio Andreotti, sept fois président du Conseil, placé sous enquête en raison de ses liens présumés avec la Mafia sicilienne[9].

Présentée parfois comme une lutte entre le pouvoir judiciaire et le pouvoir politique, voire comme un coup d'État[10], l'opération Mains propres fut également l'expression d'un ras-le-bol généralisé contre la « *partitocrazia* », c'est-à-dire la mainmise exercée par les partis sur l'administration et leur rôle dans le développement des pratiques clientélistes. Des foules conspuaient spontanément les politiciens corrompus en les traitant de voleurs, comme en fit l'expérience le président du Conseil Craxi. Antonio Di Pietro, le plus connu du groupe des magistrats de Milan, devait devenir le héros du jour. Les cinq partis qui s'étaient partagé le pouvoir au cours des années 1980 furent littéralement emportés dans la tourmente : de ces partis qui avaient recueilli ensemble 53,2 % des voix en 1992, le DC (29,7 % en 1992), le PLI (2,8 %) et le PSDI (2,7 %) n'existaient plus en 1994, alors que le PSI était tombé de 13,6 % à 2,2 % des voix et le PRI de 4,4 % à 1,2 % (mais ils auront disparu en 1996). En fait, le discrédit semble avoir emporté jusqu'au terme même de « parti[11] ». Bien des auteurs

9. Vittorio BUFACCHI et Simon BURGESS, *Italy since 1989. Events and Interpretations*, Londres, Macmillan Press, 1998, ch. 4.

10. Pour une interprétation de ce type, voir par exemple Stanton H. BURNETT et Luca MANTOVANI, *The Italian Guillotine. Operation Clean Hands and the Overthrow of Italy's First Republic*, Oxford, Rowman and Littlefield, 1998. L'un des auteurs, Mantovani, est un cadre de *Forza Italia*.

11. Je dois cette observation à mon collègue Jean-Pierre Beaud. Parmi les formations politiques représentées dans les deux Chambres (28) à la suite des élections politiques de 2001, en effet, trois seulement se désignent officiellement comme des partis : le *Nuovo PSI* (Nouveau Parti socialiste), le *Partito popolare italiano*, un avatar de la Démocratie chrétienne, et le régionaliste *Sudtiroler Volkspartei* (Parti populaire du Sud-Tyrol).

décrivent les événements à l'aide du mot révolution, même s'ils s'empressent de l'encadrer de guillemets ou de le faire suivre d'un point d'interrogation. Chose certaine, un immense vide politique s'ouvrit, qui rendait pressante une réforme des institutions et, notamment, de la loi électorale.

Le système électoral italien

De 1948 à 1992, l'Italie a élu une Chambre de 630 députés et un Sénat de 315 membres, tous deux dotés d'un égal statut constitutionnel, en recourant pour l'essentiel au scrutin proportionnel[12]. Ce système électoral, dont l'adoption était compréhensible au terme de quelque deux décennies d'une dictature à parti unique, a sans doute encouragé la fragmentation du vote : entre les deux objectifs que vise une élection dans un système parlementaire, soit permettre une représentation adéquate des opinions des électeurs et favoriser la constitution d'un gouvernement efficace, c'est le premier qui s'est trouvé privilégié. Les effets combinés de l'absence d'alternance et de la fragmentation du vote ont pour résultat que, contrairement à ce qu'on observe dans un régime bipartite idéal, les gouvernements ne sont pas faits ou défaits par l'électorat, mais plutôt par les négociations entre partis et entre courants de ces partis. Au tournant des années 1990, alors que la logique qui avait assuré jusque-là la stabilité du système des partis (et l'instabilité des gouvernements) était secouée par la fin de la guerre froide, les impératifs budgétaires posés par l'intégration européenne et la mise au jour de l'ampleur de la corruption, les défauts du système électoral apparurent aux yeux de plusieurs comme l'une des causes

12. Au Sénat, le système prévoyait l'élection au scrutin uninominal des candidats ayant obtenu 65 % des voix et une répartition proportionnelle des sièges restants. La hauteur du seuil faisait évidemment que la quasi-totalité des sièges étaient répartis suivant le mode proportionnel.

majeures de ce dysfonctionnement de la démocratie italienne. Le but avoué des réformistes, dont le chef de file était le démocrate chrétien en rupture de ban Mario Segni, était d'ouvrir la voie au bipartisme. Mais comme la majorité parlementaire s'opposait à un changement du système dont elle craignait qu'il mît fin à son emprise, c'est au moyen d'un référendum que la question fut tranchée.

Les 17 et 18 avril 1993, 86 % des électeurs se déplacèrent (c'est la plus forte participation à un référendum dans l'histoire de la République) pour dire OUI à 82 % à une proposition d'abolition de la représentation proportionnelle au Sénat. Le signal était suffisamment clair pour qu'une nouvelle loi électorale soit adoptée dès le mois d'août. Désormais, 75 % des sièges des deux Chambres sont attribués suivant le mode de scrutin uninominal à un tour et 25 % suivant une variante passablement complexe du mode de scrutin proportionnel ; pour ce qui est de la Chambre des députés, un seuil minimal de 4 % doit être franchi pour qu'un parti puisse transformer ses votes en sièges. Mais la procédure de vote diffère de façon curieuse selon la Chambre. Pour l'élection des sénateurs, l'électeur reçoit un seul bulletin de vote sur lequel il indique le candidat de son choix dans sa circonscription ; tous les votes qui ne vont pas au gagnant tombent dans une cagnotte régionale qui sera utilisée pour la répartition proportionnelle. Pour l'élection des députés, l'électeur reçoit deux bulletins de vote : un sur lequel il indique le candidat de son choix dans sa circonscription et qui sert à désigner les députés élus au scrutin uninominal (475) et un second, destiné à pourvoir les autres sièges (155) suivant une formule complexe qui défavorise les partis ou coalitions ayant été avantagés par le scrutin uninominal, sur lequel il indique le parti ayant sa préférence. Comme on peut aisément le voir, ce système hybride a quelque chose de contradictoire. Sa dimension uninominale pousse dans une direction : les partis sont encouragés à s'entendre, à créer des coalitions et la coalition la plus forte bénéficie d'une prime. Sa dimension proportionnelle vient toutefois contrecarrer cette poussée : les partis sont encouragés à maintenir leur identité distincte et la redistribution défavorise cette fois les partis de la coalition ayant recueilli le plus de voix. Les résultats de l'élection de 2001 illustrent bien ces tendances contradictoires : avec 45,4 % des voix, la coalition de centre droit dirigée par Berlusconi a pu obtenir 282 (59 %) des sièges de députés attribués selon le mode majoritaire, alors que l'*Ulivo*, avec 43,7 % des voix, n'en recueillait que 192 (40 %) ; pour ce qui est des sièges attribués suivant le mode proportionnel, le déséquilibre était moins marqué, avec 86 sièges sur 155 (55 %) pour les partis du centre droit ; au Sénat, le centre droit (avec 42,9 % des voix) recueille 152 (66 %) des 232 sièges octroyés suivant le mode uninominal, mais seulement 24 (29 %) des 83 attribués suivant le mode proportionnel (parmi lesquels 51 [61 %] vont à l'Ulivo qui a obtenu 39,2 % des voix[13]). Par ailleurs, en 1996 comme en 2001, on observe un écart entre les résultats obtenus par les coalitions pour le vote majoritaire et ceux obtenus par les partis appartenant à ces coalitions pour le vote proportionnel ; cet écart, qui joue en défaveur du centre-droit, témoigne d'un usage stratégique du double bulletin de vote de la part des électeurs[14]. On comprend qu'une autorité en ces matières comme le politologue Giovanni Sartori en ait conclu que « le système électoral reste mauvais[15] ».

---

13. Pour l'analyse des résultats de cette élection, voir notamment ITANES, *Perché ha vinto il centro-destra*, Bologne, Il Mulino, 2001.

14. « Les votes majoritaires exprimés en faveur de la Maison des libertés sont passablement inférieurs à la somme des votes proportionnels obtenus par les listes associées à elle. Par contre, les votes majoritaires de l'Olivier sont nettement supérieurs aux votes proportionnels des listes faisant partie de la coalition. » *Ibid.*, p. 22.

1993-1994 : la recomposition politique à droite (I)

Comme il en a été fait mention plus haut, les partis qui ensemble avaient recueilli plus de la moitié des voix aux élections de 1992 se sont complètement disloqués au cours de l'année et demie qui suivit. Quelle était alors la situation des autres forces politiques ? À gauche, les ex-communistes du PDS n'étaient pas sortis tout à fait indemnes de la tempête, mais comme ils n'appartenaient pas à la coalition gouvernante, leur implication dans les opérations de financement illégal semble avoir été moindre ; s'il était avéré qu'ils avaient reçu pendant des décennies des fonds de Moscou, en violation ici aussi de la loi sur le financement des partis politiques, la révélation de ce secret de Polichinelle eut un effet limité, les États-Unis et la CIA ne s'étant pas non plus privés de venir en aide à la DC. À droite, les néo-fascistes du MSI, qui, depuis les débuts de la République, avaient été systématiquement exclus de toute coalition gouvernementale, n'étaient pas pour leur part compromis dans les scandales et voyaient s'ouvrir devant eux un espace politique considérable. Plus difficile à situer sur l'axe gauche-droite, la Ligue du Nord, un parti autonomiste qui avait émergé au cours des années 1980, avait de son côté recueilli 8,7 % des suffrages à l'élection de 1992 (Chambre des députés) et s'était imposée comme la seconde force politique au Nord. Enfin, de nouvelles forces politiques, comme le Pacte Segni, du nom de celui qui avait piloté les référendums sur la réforme du système politique, étaient sur les rangs pour succéder à la Démocratie chrétienne. À l'occasion de l'élection de 1994, la première à être tenue suivant la nouvelle loi électorale, c'est toutefois à droite que s'établit un nouvel équilibre, entre trois « sujets politiques » qui,

---

15. Giovanni SARTORI, « Il sistema elettorale resta cattivo », in Gianfranco PASQUINO (dir.), *D'all Ulivo al governo Berlusconi. Le elezioni del 13 maggio 2001 e il sistema politico italiano*, Bologne, Il Mulino, 2002, p. 107-115.

jusqu'alors, se situaient d'une façon ou d'une autre aux marges du système : le MSI, frappé d'illégitimité depuis l'avènement de la République pour cause de philo-fascisme avoué, la Ligue du Nord, non moins suspecte du fait qu'elle mettait en cause l'unité de la nation italienne, et *Forza Italia*, une toute nouvelle créature, surgie comme un champignon à partir du holding Fininvest, contrôlé par l'entrepreneur Silvio Berlusconi.

Vers le « post-fascisme » : du MSI à l'AN

Le MSI, dont le nom, Mouvement social italien, évoque l'expérience de la République sociale italienne (RSI), l'État fasciste qui se maintint dans le nord de l'Italie de 1943 à 1945 sous la protection de l'armée allemande et devint le territoire d'une guerre civile sanglante, fut créé en 1946 par les représentants de l'aile « dure » du fascisme italien et sa fidélité à la figure du *Duce* ne laissait aucun doute. En raison de cela, bien qu'il ne fût pas interdit formellement, le parti fut l'objet d'une « convention d'exclusion » de la part des autres partis ; c'est-à-dire qu'il fut convenu que le MSI ne pourrait être intégré à une majorité parlementaire et encore moins entrer au gouvernement. En 1960, une ouverture en sa direction de la part de la DC provoqua de violentes émeutes et une réactivation de la convention d'exclusion. En dépit de cela, le MSI obtint un appui électoral qui, sur quatre décennies (1953 à 1992), demeura à la fois respectable et limité : rarement moins de 5 %, jamais plus de 10 %, avec des appuis concentrés dans le sud du pays[16]. Même s'il n'a jamais, au cours de cette période, répudié le fascisme, le MSI

16. Le MSI devait toutefois dépasser le seuil de 10 % lors des élections administratives, notamment en 1952, où, sur des listes communes avec les monarchistes, il obtint 11,8 % et le contrôle effectif de certaines grandes villes comme Naples et Bari. Piero IGNAZI, « Il Movimento sociale italiano », in Gianfranco PASQUINO (dir.), *La Politica italiana. Dizionario critico 1945-1995*, Bari, Laterza, 1995, p. 274.

demeurait tiraillé, sur le plan du discours, entre un anticommunisme « réaliste » qui pouvait le porter vers des positions pro-américaines proches de celles de la DC et un radicalisme fidèle à l'héritage de la RSI, prônant une « troisième voie » entre le capitalisme et le communisme ; sur le plan de l'action, le MSI était clairement engagé dans la voie électoraliste et les compromis qu'elle suppose (par exemple, avec les monarchistes qui avaient pourtant « trahi » en 1943), mais plusieurs de ses jeunes partisans n'hésitaient pas à frayer avec la subversion armée et l'action clandestine.

La transformation du jeu politique au début des années 1990 devait changer complètement la donne. Dans les conditions de l'après-guerre froide et de l'ouverture provoquée par l'évaporation de la coalition jusque-là gouvernante, la convention d'exclusion ne pouvait plus jouer. D'une part, à la lumière crue de la corruption dans laquelle s'étaient vautrés les partis « antifascistes », elle apparaissait singulièrement hypocrite. D'autre part, aux yeux du principal parti antifasciste subsistant, le PDS, la perspective de voir la droite de l'échiquier politique éventuellement dominée par les néo-fascistes pouvait être avantageuse, dans la mesure où elle déporterait vers la gauche toute une frange d'électeurs centristes : au lieu d'un système politique dont le centre de gravité se situait au centre droit du fait de la double convention d'exclusion qui frappait communistes et néo-fascistes, on aurait un système dont le centre de gravité se situerait cette fois au centre gauche en raison de la répugnance des électeurs centristes à donner leur appui à ces derniers et de la levée de l'hypothèque qui pesait jusqu'en 1991 sur un parti communiste lié à Moscou ; or, pour que ce phénomène puisse jouer pleinement, il fallait que le MSI puisse jouir de tout l'espace nécessaire, afin de bloquer l'émergence d'une nouvelle force centriste.

Conscient de la nouveauté de la situation et des dividendes qu'ils pouvaient en tirer, les dirigeants du MSI tentèrent de se poser rapidement comme les porte-parole crédibles de la droite en général, plutôt que de la composante extrême, néo-fasciste, de celle-ci. Aux élections municipales de juin 1993, le secrétaire national du parti Gianfranco Fini et Alessandra Mussolini, la petite-fille du *Duce*, candidats aux mairies de Rome et de Naples, obtinrent respectivement 46,9 % et 44,4 % des voix, signe indubitable de l'espace considérable qui s'offrait au parti, pour peu qu'il sache s'adapter aux circonstances. Il fut décidé, sur les conseils notamment du politologue Domenico Fisichella, de créer une nouvelle structure électorale, baptisée Alliance nationale, dont le MSI ne serait qu'une composante : cette formule devait permettre de présenter des candidats qui n'étaient pas et ne désiraient pas nécessairement devenir membres du MSI[17]. L'expérience fut relativement concluante : on était loin des surprises de Rome et de Naples, mais alors que le MSI avait obtenu 5,4 % des suffrages en 1992, l'AN en recueillait quand même 13,5 % deux ans plus tard[18]. En un court laps de temps, les « ex-néo-fascistes » étaient passés du statut d'outsider prêchant le rejet du système à celui de parti de gouvernement.

L'émergence de la Ligue du Nord

C'est qu'entre-temps d'autres forces politiques avaient également cherché à combler le vide laissé à droite. La Ligue du Nord, qui, en dépit de sa concentration géographique, devait recueillir 8,4 % du vote national, était issue de la fédération, en 1989, d'une série de mouvements autonomistes nés au cours des années 1980 et dont le plus important était la Ligue lombarde, dirigée

---

17. Ce fut le cas de Fisichella, qui fut élu sénateur.

18. Les résultats concernent, pour 1992, la Chambre des députés, et, pour 1994, la partie proportionnelle du vote à cette même Chambre.

par un ex-étudiant en médecine, Umberto Bossi[19]. Lors des élections de 1987, celle-ci recueillit 3 % du vote en Lombardie (0,5 % du vote national), mais, grâce au scrutin proportionnel, put élire un député et un sénateur, Bossi lui-même. En 1992, la Ligue devait obtenir 8,7 % du vote national et devenir le second parti au nord du pays, derrière la DC. Les griefs des leaders de la Ligue pouvaient se résumer ainsi : (1) la mauvaise gestion du pays par le gouvernement central de Rome mettait en péril le dynamisme économique de l'Italie du nord ; (2) la richesse produite dans cette région du pays était massivement redirigée vers le Sud parasitaire, sous forme de subventions le plus souvent détournées au profit du crime organisé ; (3) la classe politique professionnelle était elle-même profondément corrompue ; (4) l'immigration incontrôlée et contraire aux souhaits des Italiens menaçait de transformer le pays en une société multiculturelle[20]. Cette offre politique présentait plusieurs des traits que nous avons relevés à propos du Front national en France ou du Parti de la liberté en Autriche et explique qu'on trouve fréquemment dans la littérature des comparaisons entre, d'une part, Bossi, et, d'autre part, Haider ou Le Pen : attitude populiste dirigée contre les partis en place (avec le slogan *Roma ladrona* [Rome, capitale des voleurs]), discours néolibéral favorable au capitalisme national (ici, régional) et exploitation des craintes xénophobes, mais aussi une dimension ethno-régonaliste débouchant sur un programme « fédéraliste », ce qui, dans le contexte italien, impliquait une décentralisation radicale. Cela suffit à indiquer que, dans le nord du pays à tout le moins, il y avait un concurrent au MSI/AN pour prendre la relève

---

19. Sur la Ligue, voir Anna Cento BULL et Mark GILBERT, *The Lega Nord and the Northern Question in Italian Politics*, New York, Palgrave, 2001.

20. Voir *ibid.*, p. 14.

de la classe politique discréditée et faire la chasse aux voix orphelines sur la droite du spectre politique.

Forza Italia

Et comme les choses ne sont jamais simples, un troisième joueur annonça bientôt son intention de plonger dans l'arène politique, en la personne de Silvio Berlusconi. Magnat des médias (son holding, Fininvest, possède trois chaînes privées de télévision, des maisons d'édition, des magazines, un quotidien), de l'immobilier, propriétaire du club de football AC de Milan, Berlusconi était au cours des années 1980 un familier des milieux politiques, proche en particulier du socialiste Craxi, qui lui permit de prendre avantage de la déréglementation des ondes. Comme bien d'autres leaders de l'époque, il avait également vu son nom mêlé au scandale de la loge maçonnique P2, une organisation secrète subversive dédiée à la lutte anticommuniste. À la différence d'autres entrepreneurs, il semble bien que Berlusconi, grâce à son empire, ait pu rétribuer les politiciens qui l'ont aidé dans ses affaires en leur accordant de l'espace médiatique plutôt que de l'argent (ce qui aurait été beaucoup plus incriminant). Fin 1993, lorsqu'il devint clair que les partis de la coalition, parmi lesquels se trouvaient ses amis politiques, étaient menacés de disparition, Berlusconi se sentit à bon droit menacé tant par les juges de Milan qui enquêtaient sur la corruption politique (et devaient d'ailleurs envoyer en prison son frère Paolo) que par la victoire d'une gauche qui venait de triompher aux élections municipales de Rome, Venise, Naples et Palerme et ne faisait pas mystère de son intention de briser son emprise sur les moyens d'information.

La conception de *Forza Italia* s'étendit sur neuf mois à peine. C'est en juillet 1993 que la haute direction de Fininvest fut réunie pour discuter de la voie à suivre.

Publitalia, une de ses filiales spécialisée dans les sondages et les études de marché, lança une série d'enquêtes et de rencontres avec des *focus groups*, en vue de définir une offre politique susceptible de séduire l'électorat. Les directeurs régionaux de Fininvest furent mis à contribution pour agir comme chasseurs de têtes et identifier d'éventuels candidats. Puis apparut en janvier 1994 l'Association nationale *Forza Italia*, une fédération de clubs politiques couvrant l'ensemble du territoire et faisant la promotion de Berlusconi et de ses « idées », une sorte de « non-parti » qui échapperait au discrédit attaché à la *partitocrazia*[21]. L'arrestation en décembre 1993 du trésorier de la Ligue du Nord avait rendu vulnérable le parti qui apparaissait comme le principal concurrent de Berlusconi, puisque basé dans la même région du pays et sollicitant le même électorat. Mais le nouveau système électoral risquait fort de jouer en faveur de la gauche si les trois partis qui cherchaient à s'emparer du vote qui allait auparavant à la Démocratie chrétienne ne parvenaient pas à s'entendre sur le partage des dépouilles.

Plusieurs facteurs faisaient obstacle à une telle entente. Le MSI/AN était un parti structuré qui avait une longue histoire et la Ligue avait déjà fait ses preuves sur le plan électoral, alors que FI demeurait un parti virtuel dont les exigences pouvaient paraître exagérées aux yeux d'éventuels partenaires. Par ailleurs, alors que la Ligue était un parti autonomiste et hostile à l'État-providence, le MSI/AN défendait farouchement l'unité italienne et la redistribution en faveur du Sud, où se trouvait sa base électorale. Le populiste Bossi pouvait du même souffle parler des Italiens du Sud en termes racistes et déclarer qu'il ne s'allierait jamais aux « fascistes » de l'AN. Le

---

21. Sur la genèse de FI, voir Emanuela POLI, *Forza Italia. Strutture, leadership e radicamento territoriale*, Bologne, Il Mulino, 2001.

génie de Berlusconi fut de trouver une formule permettant la cohabitation (pour un temps) de ce ménage à trois. Non pas une mais bien deux coalitions furent créées : au Sud, où la Ligue était absente, FI et l'AN se regroupèrent en un « Pôle du bon gouvernement » pour se partager les circonscriptions en vue du vote uninominal et éviter ainsi de se faire concurrence directe ; au Nord, où l'AN était plus faible, la création d'un « Pôle des libertés » permit à FI et à la Ligue de faire de même. En assurant la cohésion de ces deux Pôles siamois, Berlusconi pouvait s'imposer comme le trait d'union des forces de droite et son leader naturel.

Cette improbable coalition devait leur procurer la victoire, mais ce fut une victoire à la Pyrrhus. La coalition de gauche, qui, dans les mois précédents, s'attendait à recueillir les fruits de la décomposition du système des partis, fut nettement battue. Mais si les Pôles réussissent à obtenir une majorité à la Chambre des députés, celle-ci leur échappa de peu au Sénat. À l'intérieur de la coalition, la tension entre la Ligue et FI devint très forte. Dans les négociations précédant l'élection, la Ligue, forte de ses succès lors de l'élection de 1992, avait pu obtenir de présenter une majorité de candidats, en échange de quoi elle mettait sa machine électorale au service du Pôle. La victoire de ce dernier avait donc conforté sa députation ; toutefois, le score obtenu par FI dans le vote proportionnel (21 % contre 8,4 % à la Ligue à l'échelle nationale), le leadership évident de Berlusconi et la position de tête que réussit à arracher son nouveau parti sur les terres mêmes de la Ligue faisaient barrage au projet hégémonique de celle-ci. Cette tension entre Bossi et Berlusconi devait conduire rapidement, comme on l'a dit plus haut, à la chute du gouvernement de centre droit et, en 1996, en raison de l'incapacité à reconduire la coalition de 1994, à l'élection d'un gouvernement de centre gauche. Mais les événements de l'année 1994 devaient impulser une dynamique qui agirait non seulement sur les composantes de la droite, mais aussi sur l'ensemble de l'espace politique.

1995-2001 : la recomposition politique de la droite (II)

L'un des bénéficiaires nets de la nouvelle donne était le MSI/AN. L'augmentation remarquable du vote en faveur d'un parti traditionnellement identifié au néo-fascisme et son accession au gouvernement brisaient un tabou de près d'un demi-siècle et confirmaient la justesse de la tactique de recentrage, jusque-là très limité, mise de l'avant par son secrétaire national Fini. Ce succès à l'échelle nationale (de 5,4 % en 1992 à 13,5 % deux ans plus tard, avec un sommet de 27 % à Rome) devait s'accompagner d'une progression tout aussi notable sur le plan local. Certes, le MSI avait toujours été présent dans les conseils municipaux, provinciaux et régionaux, avec une représentation tournant en moyenne autour de 2 000 élus. Mais dans le contexte de l'effondrement de la 1re République et du tournant amorcé par Fini, il devait porter ce nombre à près de 5 000 (dont 254 maires) en 1995[22]. Ces succès générèrent des ressources importantes pour le parti et surtout consolidèrent la position de Fini, à la tactique duquel plusieurs sentaient qu'ils devaient leur siège. En retour, cela encouragea Fini à poursuivre la transformation jusque-là assez timidement engagée.

En janvier 1995, le 17e Congrès du MSI/1er congrès de l'AN se réunit à Fiuggi. L'objectif du congrès était d'officialiser la transformation du MSI en AN et de marquer clairement le caractère radical de cette transformation. C'est, ironiquement, de manière autoritaire que s'effectuera le passage du néo-fascisme à ce qu'on

22. Marco TARCHI, *Dal MSI ad AN. Organizzazione e strategie*, Bologne, Il Mulino, 1997, p. 47, 313 et 315.

appellera le « post-fascisme ». Il faut comprendre que le MSI était un parti comptant plusieurs dizaines de milliers de membres (ses effectifs ont fluctué bon an mal an de 150 000 à 250 000 membres[23]), une organisation interne passablement développée et des courants structurés : bref, un « parti bureaucratique de masse[24] ». Le succès associé à la direction donnée par Fini, la participation à une coalition avec d'autres partis, l'adaptation aux réalités électorales contemporaines contribuèrent à une centralisation du pouvoir dans les mains du secrétaire national. Les thèses soumises au congrès sans avoir fait l'objet d'un débat interne préalable visaient à changer l'image du parti (on y déclarait par exemple que « l'antifascisme a été un moment historiquement essentiel pour le retour aux valeurs démocratiques que le fascisme avait piétinées » et l'on disait s'inspirer tout autant du philosophe libéral Croce et du communiste Gramsci que du philosophe fasciste Gentile !) et provoquèrent le départ d'une minorité de nostalgiques qui se rallieront sous la bannière MSI-Flamme tricolore (MSI-FT). Fini fut élu président du nouveau parti et le programme adopté par ce dernier se caractérise notamment par son langage étonnamment modéré sur la question de l'immigration, son rejet du racisme et de l'antisémitisme, ainsi que par sa condamnation du totalitarisme « sous toutes ses formes ». L'authenticité de ce passage au « post-fascisme », réitérée dans les années suivantes par une série de gestes et de déclarations symboliques[25], soulève malgré tout encore des doutes. Une enquête

---

23. Selon les données officielles du parti concernant les inscrits (*ibid.*, p. 40). Selon les mêmes données, le membership passe d'environ 200 000 en 1993, à près de 325 000 en 1994, puis à plus de 465 000 en 1995. Selon Tarchi (p. 15), la solidité organisationnelle du MSI est un des facteurs importants qui lui ont permis d'occuper mieux que d'autres (par exemple, les Verts) l'espace politique rendu vacant par la disparition de la DC.

24. Piero IGNAZI, *Il polo escluso. Profilo del Movimento sociale italiano*, Bologne, Il Mulino, 1989, p. 256.

menée auprès des délégués au congrès de 1995 révèla qu'un bon nombre de militants restaient attachés aux valeurs et au modèle traditionnels du parti[26]. Mais l'élection de 1996, qui devait porter le vote en faveur de l'AN à 15,7 % et n'accorder que 0,9 % au MSI-FT, confirma à tout le moins la rentabilité électorale des décisions prises au congrès.

La chute du gouvernement Berlusconi propulsa de son côté la Ligue du Nord dans une fuite en avant consternante. La Ligue, qui jusque-là prônait une fédéralisation de l'Italie selon trois grandes régions, se mit à réclamer la sécession du nord de l'Italie, qu'elle baptisa Padanie et qui incluait désormais — pourquoi s'en priver ? — la Toscane ! Les élections nationales d'avril 1996 furent un succès majeur pour la Ligue qui se présentait cette fois seule, donc en concurrence avec FI : 10,8 % (scrutin majoritaire) et 10,1 % (scrutin proportionnel) du vote national à la Chambre des députés, 9,1 % au Sénat. Mais lorsqu'on ne prend en compte que le Nord, on observe que la Ligue arrive en tête dans le Nord-Est avec 26,2 % des voix (contre 17,5 % à FI et 12,3 % à l'AN) et rate de peu la première position dans le Nord-Ouest avec 21,8 % (contre 22,6 % à FI et 10,4 % à l'AN[27]). Dans la foulée de ce succès, Bossi réunira les élus locaux de son parti dans un soi-disant « Parlement de Padanie », changera le nom de son parti en « Ligue du Nord pour l'indépendance de la Padanie », créera un

---

25. Mentionnons les gestes de Fini à propos de l'Holocauste : sa visite à Auschwitz en 1999, son interview au quotidien israélien *Haaretz*, dans lequel il demande pardon, en tant qu'Italien, pour les lois raciales de 1938 et, finalement, son voyage de novembre 2003 en Israël, au cours duquel il devait réitérer cette condamnation. Gianfranco FINI, « The Time of Responsibility », article paru dans le *Secolo d'Italia* du 25 novembre 2003 et traduit sur la page d'AN International : http ://www.alleanzanazionale.it/portale/international.pl ?iid=92885 (page consultée le 12 mars 2004).

26. Roberto CHIARINI et Marco MARAFFI (dir.). *La destra allo specchio. La cultura politica di Alleanza nazionale*, Venise, Marsilio, 2001.

27. Source : ITANES, *op. cit.*, p. 19.

« Comité de libération de la Padanie » et même une espèce de gouvernement provisoire appelé « Gouvernement du Soleil ». En septembre 1996, le nouvel État de Padanie est symboliquement créé à Venise, lors d'une cérémonie tenue sur le Pô, à laquelle participent quelque 400 000 à 700 000 personnes, qui voient le « Gouvernement du Soleil » prêter allégeance à une Constitution provisoire. En mai 1997, un référendum — illégal en regard de la loi italienne — est organisé par la Ligue et donne, selon le parti, une écrasante majorité en faveur de l'indépendance. En octobre 1997, des élections sont tenues pour désigner les membres du nouveau Parlement « padanien », auquel Bossi donne le mandat de rédiger deux projets de Constitution, l'un fédéral et l'autre confédéral. Cette politique largement imaginaire, fondée sur l'invention d'une identité ethnique distincte, s'accompagne d'une xénophobie de plus en plus crue et l'immigration est dès lors perçue par la Ligue comme le danger principal, résultant d'un complot entre le capitalisme globalisant et la gauche internationaliste. L'électorat jugera toutefois sévèrement ces dérives, comme en témoigne le score du parti aux élections européennes de 1999 (moins de 5 %), qui l'amène à reconsidérer les risques d'aborder à nouveau les élections nationales en ne comptant que sur ses propres forces et à troquer son objectif sécessionniste pour celui, plus modeste, d'une « dévolution » sur le modèle écossais ou catalan.

C'est peut-être pour Berlusconi que les lendemains immédiats de la défaite furent les plus difficiles. Celui qui avait dit : « *Forza Italia*, c'est moi » devait maintenant, s'il souhaitait survivre politiquement transformer la machine politique construite sur la base de son entreprise en un véritable parti politique susceptible de recueillir allégeance et loyauté par-delà Fininvest. Lors de son congrès de 1998, *Forza Italia* se posa clairement en prétendant à la succession de la Démocratie chrétienne, lançant un appel direct aux catholiques, reprenant vigoureusement le flambeau de l'anticommunisme contre un PDS qui n'avait pourtant plus guère à voir avec le communisme, dénonçant la bureaucratie, celle de l'État italien comme celle de l'Union européenne, critiquant le système judiciaire et se prononçant en faveur du fédéralisme. L'une des difficultés majeures auxquelles a dû faire face Berlusconi est de fait la ténacité des juges enquêtant sur son compte : accusé et condamné plusieurs fois, il a bénéficié tout au long de ses années d'opposition des appels multiples que permet le système judiciaire italien et a décrit les procédures engagées contre lui comme une forme de persécution, téléguidée par ses adversaires politiques.

Cela dit, les années 1996-2001, qui virent se succéder trois gouvernements de centre gauche, furent pour Berlusconi l'occasion d'un *comeback* spectaculaire. Alors que la Ligue poursuivait sa chimère padane et que l'AN se rendait disponible pour une réforme constitutionnelle et électorale qui lui permettrait de supplanter un FI encore faiblement enraciné, Berlusconi réussit à se maintenir comme le pivot indispensable de toute coalition de centre droit et à s'imposer progressivement comme le leader incontesté de l'opposition. Alors qu'au centre gauche, il était impossible d'identifier le leader de la coalition (l'*Ulivo* choisissait pour tête de file l'ex-vert et chef de la *Margherita* Franco Rutelli, maire de Rome, mais la succession des premiers ministres — Romano Prodi, puis Massimo d'Alema, puis Giuliano Amato — avait montré que diriger le gouvernement et diriger la coalition étaient deux choses bien distinctes), au centre droit, personne ne pouvait avoir de doute sur la position de Berlusconi : il était à la fois le leader de la coalition et le candidat au poste de premier ministre. Dans la perspective où les électeurs ont à faire un choix, cette clarté ne pouvait qu'aider le centre droit.

Vers un système bipolaire ?

Les changements qu'a subis l'espace politique italien depuis un peu plus d'une décennie peuvent être sommairement résumés par les propositions suivantes. (1) On est passé d'un système politique marqué par une double convention d'exclusion visant à la fois les communistes (à gauche) et les néo-fascistes (à droite) à un système où, à la faveur de circonstances indépendantes de leur volonté (effondrement de l'Union soviétique, opération Mains propres), ces forces politiques ont été conduites à se transformer de manière à être pleinement réintégrées dans le jeu politique (l'ex-néo-fasciste Fini a été — et est de nouveau — vice-président du Conseil, tout comme l'ex-communiste D'Alema a pu accéder à la présidence du Conseil). (2) La prédominance du centre qui résultait de cette double exclusion et permettait à la Démocratie chrétienne (avec l'aide, éventuellement, des socialistes et d'autres partis plus petits) de dominer le jeu politique a cédé la place à une démocratie compétitive, avec une possibilité réelle d'alternance entre la gauche et la droite. (3) Le système électoral, dont la nature proportionnelle encourageait la fragmentation du vote, a été partiellement — mais seulement partiellement — corrigé de manière à favoriser la bipolarisation.

Cette évolution peut être schématisée par les deux graphiques suivants, comparant l'espace politique issu de l'élection de 1983 à celui résultant de l'élection de 2001.

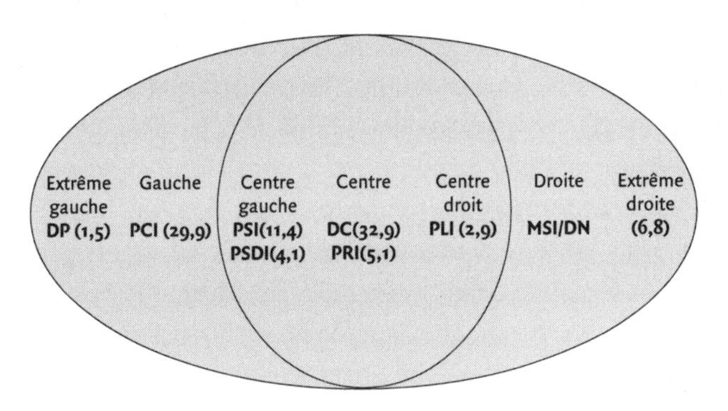

Graphique 1. Un système politique tripolaire : élections de 1983, Chambre des députés (DP = Démocratie prolétarienne ; PCI = Parti communiste ; PSI = Parti socialiste ; PSDI = Parti social-démocrate ; DC = Démocratie chrétienne ; PRI = Parti républicain ; PLI = Parti libéral ; MSI = Mouvement social italien — Droite nationale).
Des forces politiques minimalement significatives, nous avons omis les radicaux de la liste Panella (2,2), inclassables sur un axe gauche-droite, mais qui devaient se rapprocher du gouvernement Craxi.

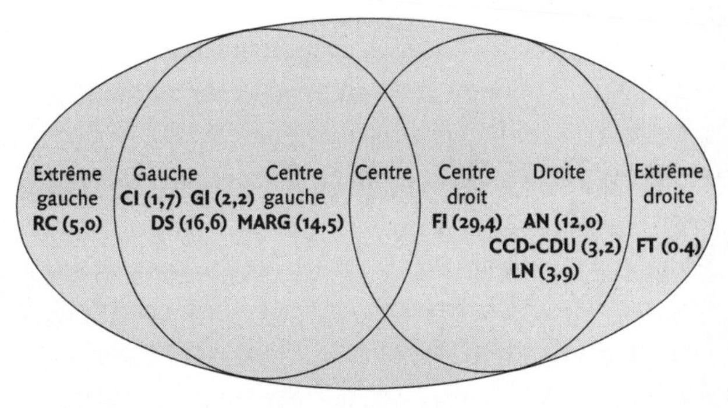

Graphique 2. Vers la bipolarisation : élections de 2001, Chambre des députés, vote proportionnel (RC = Refondation communiste ; CI = Communistes italiens ; GI = *Girasole* ; DS = Démocrates de gauche ; MARG = Marguerite ; FI = *Forza Italia* ; AN = Alliance nationale ; CCD-CDU = Centre démocrate chrétien/Démocrates chrétiens unis ; LN = Ligue du Nord ; FT = Flamme tricolore).
Des forces politiques minimalement significatives, nous avons omis les forces centristes qui n'avaient pas joint une coalition en vue du vote majoritaire : la liste Di Pietro (3,9), la liste radicale Bonnino-Panella (2,2), Démocratie européenne (2,4).

Comme on peut le voir, le système politique était caractérisé par trois pôles (gauche, centre, droite), mais le blocage créé par l'inadmissibilité de la participation des communistes au pouvoir et la convention d'exclusion prononcée à l'endroit des néo-fascistes avait pour effet de loger au centre (avec 56,4 % des suffrages) le point de gravité du système. L'effondrement de la Démocratie chrétienne, la levée quasi simultanée des interdits qui pesaient sur la gauche et la droite et l'introduction d'un suffrage partiellement majoritaire ont eu pour effet de bipolariser le système : même si le nombre de partis ayant recueilli plus de 1 % au vote proportionnel est passé de 9 à 13, il ne faut pas perdre de vue que prises ensemble, les deux coalitions de centre gauche et de centre droit ont recueilli plus de 89 % ; les partis les composant ont fait un peu moins bien dans le vote proportionnel (83,5 %). Cette bipolarisation demeure asymétrique, en ce sens que la logique de coalition semble s'être mieux installée au centre droit qu'au centre gauche, comme en témoigne le fait qu'on n'ait pas de doute sur l'identité de son leader[28].

Par rapport à la France, où le Front national persiste dans son attitude anti-système et n'arrive pas à rompre la logique bipolaire ni à s'y insérer, et à l'Autriche, où le renoncement au refus du système et l'insertion dans la coalition gouvernementale a conduit le FPÖ à perdre une bonne part de son identité ainsi que de son appui électoral, l'Italie offre en début de 21e siècle un spectacle différent et plus complexe. La logique bipolaire qui s'est installée a conduit les néo-fascistes du MSI à rompre avec leur attitude anti-système et ne peut que les inciter à la modération, dans l'espoir de couvrir une part de plus en plus large de la portion droite du spectre politique. La Ligue du Nord, qui a pu tirer des accords

28. Les partis de gauche se sont toutefois mieux adaptés à la logique de coalition au niveau local, gouverné par le scrutin uninominal à deux tours.

pré-électoraux des bénéfices bien supérieurs à son poids électoral réel, persiste pour sa part dans l'attitude anti-système, mais elle apparaît l'élément de la coalition le plus vulnérable à la prédation de la part de ses partenaires et, pour cette raison, la plus prompte à la défection. L'avenir de *Forza Italia*, qui s'est imposé comme le premier parti italien, le plus habile à récupérer les dépouilles de la Démocratie chrétienne et à manier la rhétorique libérale, demeure également incertain, du fait que cette formation reste étroitement dépendante d'un chef qui, en dépit de ses fonctions de président du Conseil, est hanté de façon permanente par les affaires de corruption et largement déconsidéré hors d'Italie en raison des conflits d'intérêts qu'il se refuse à reconnaître.

CONCLUSION

Bien des écrits relatifs à la montée électorale de l'extrême droite ont tendance à la présenter comme une sorte d'aberration mentale contagieuse dont il faudrait se prémunir à coups d'exorcismes et d'anathèmes. La position politique qui découle naturellement de cette vision est celle de la mise hors-la-loi. Ainsi, l'ex-ministre socialiste Jean-Luc Mélenchon propose-t-il, dans *Le Monde* du 28 mai 2002, d'interdire purement et simplement le Front national ; en 1995-1996, une pétition à cet effet avait recueilli 175 000 signatures et Henri Emmanuelli, ancien secrétaire du PS, avait repris cette demande à son compte à l'automne 1996[1]. Les partisans de la dissolution invoquent la loi de 1936 sur les ligues factieuses, en vertu de laquelle, au fil des années, le gouvernement français a interdit des organisations, d'orientations politiques diverses (nationalistes, extrémistes de gauche ou de droite), dont on pouvait arguer raisonnablement qu'elles constituaient des milices. La campagne européenne de 1999-2000 contre le gouvernement autrichien participe de la même réaction.

---

1. On notera que c'est lorsqu'ils sont dans l'opposition et non lorsqu'ils sont au pouvoir que les socialistes proposent d'interdire le FN.

Nous nous sommes proposé ici d'aborder les choses d'une autre manière (le fait de traiter d'autres pays que le sien facilite sans doute cette prise de distance), en insistant sur les opportunités qu'offraient à des forces politiques nouvelles ou jusque-là marginales les reconfigurations de l'espace politique, sur les effets résultant de la dynamique des systèmes de partis et sur les initiatives des entrepreneurs politiques[2]. Au terme de cet examen, nous reviendrons brièvement sur les situations française, autrichienne et italienne en les comparant sur trois points : (1) les circonstances qui ont permis l'émergence électorale de forces politiques situées à l'extrême droite du spectre politique et/ou ayant une nette dimension anti-système ; (2) les réactions respectives de ces forces devant l'ouverture qui se présentait à elles ; et enfin, de manière prospective, (3) les perspectives qui s'offrent à chacune d'entre elles aujourd'hui.

La première chose qu'il convient de souligner est que l'essor pris par le FN en France, par le FPÖ en Autriche, ou encore par le MSI/AN et la Ligue du Nord en Italie résulte, dans chacun de ces pays, d'une rupture de l'équilibre qui caractérisait le système politique national depuis passablement longtemps (la fin de la guerre pour l'Autriche et l'Italie, l'avènement de la Ve République pour la France). En France, la prise du pouvoir par la gauche en 1981, consécutive à l'affaiblissement de la menace que pouvait représenter un Parti communiste en déclin, a sérieusement déstabilisé la droite modérée au pouvoir depuis 1958 et ouvert un champ de manœuvre sur cette portion du spectre politique. En Autriche, la position subordonnée dans laquelle se sont

2. Cette approche demeure bien entendu partielle. Pour donner une vue globale du phénomène, deux autres dimensions, dont nous avons peu parlé, mériteraient un examen attentif : l'idéologie (à propos de laquelle, pour le cas de la France, on doit mentionner les travaux de Pierre-André Taguieff) et le comportement de l'électeur (par opposition à celui des partis).

retrouvés les conservateurs de l'ÖVP au sein du gouvernement de grande coalition à partir de 1986 a entraîné un mouvement de défection de la part de ses électeurs, dont un bon nombre se sont tournés vers le tiers parti disponible. En Italie, la fin du tabou pesant sur le Parti communiste et la crise générale dans laquelle, presque au même moment, est entré le système partisan à l'occasion de l'opération Mains propres ont libéré un espace considérable aux forces de droite apparemment les moins compromises dans la corruption parce que tenues à l'extérieur du partage des prébendes (le MSI) ou relativement nouvelles (la Ligue). Dans chacun des cas, on notera que *cette rupture de l'équilibre politique s'est produite d'une manière tout à fait indépendante de l'initiative propre des forces politiques qui en ont profité.*

La réaction de chacune de ces forces politiques à cette situation nouvelle fut différente. En France, le FN a rapidement adopté une attitude d'opposition au « système » : il s'est défini avec une radicalité croissante *contre la droite modérée*, se posant comme alternative à l'ensemble des autres forces politiques. Malgré une brève et tardive période d'hésitation, qui a vu, sous l'impulsion de Bruno Mégret, le FN tenter — en vain — une ouverture vers certains éléments de la droite classique, c'est la ligne « seul contre tous » qui a largement prévalu, confinant le parti à un rôle de nuisance généralement profitable à la gauche modérée (qui a pu gouverner durant 16 des 21 années séparant la première élection de François Mitterrand et la seconde de Jacques Chirac). En Autriche, le FPÖ a d'abord réagi de la même manière et tiré tous les bénéfices que pouvait lui mériter une attitude antisystème dans le cadre du déséquilibre croissant que connaissait le duopole SPÖ-ÖVP, mettant en avant le projet d'une « nouvelle » république. En 1999, ayant atteint la parité avec les conservateurs, le FPÖ a préféré l'intégration dans un gouvernement de coalition et les compromis que cela suppose à la persistance dans son attitude antérieure et au risque de contrecoup électoral que comportait la perspective de nouvelles élections dont on lui ferait porter la responsabilité. En Italie, le MSI a choisi de renoncer, au prix d'une scission sur sa droite, à son attitude traditionnelle de refus du système politique, d'amorcer une mue idéologique et de s'intégrer dans une coalition électorale complexe, au point qu'il ne convient plus de décrire son avatar, l'Alliance nationale, comme un parti d'extrême droite[3]. La Ligue du Nord, dont le positionnement sur l'axe gauche-droite est plus problématique mais dont l'identité est définie pour l'essentiel par le rejet du cadre constitutionnel italien, n'a pu évoluer de la même manière et a suivi un parcours apparemment erratique, intégrant, puis abandonnant, puis réintégrant la coalition dirigée par Berlusconi, au sein de laquelle elle demeure un partenaire imprévisible.

On peut représenter schématiquement la trajectoire suivie par chacune de ces forces politiques au moyen du graphique suivant.

Graphique 1. Trajectoires suivies par les partis à partir de l'ouverture du jeu politique

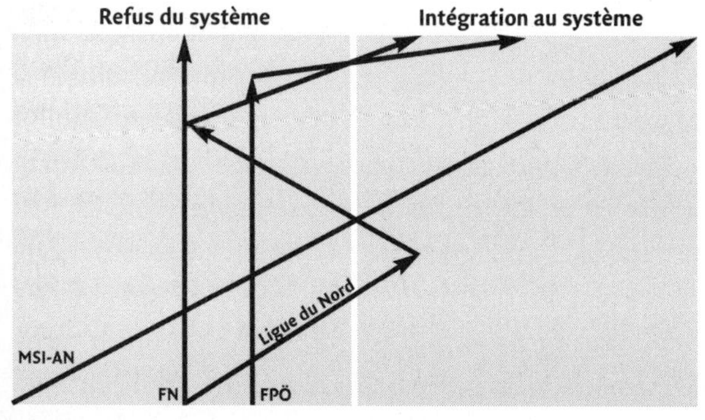

3. La récente défection d'Alessandra Mussolini et d'autres membres de l'AN à la suite du voyage en Israël de Fini et de sa déclaration à l'effet que son parti « avait quitté la maison du père pour ne plus y retourner » ne constitue probablement qu'un post-scriptum à la rupture déjà intervenue en 1995.

Chacune des moitiés du rectangle correspond à une position dans l'alternative entre le refus du système et l'intégration à celui-ci. La trajectoire la plus invariable est celle du Front national, marquée par la persistance dans le refus du système et représentée ici par une droite verticale. La trajectoire du FPÖ est représentée pour sa part par une droite verticale comparable à celle du FN, mais qui bifurque, à la suite de l'élection de 1999, vers la zone correspondant à l'intégration au système. La diagonale traversant l'ensemble du rectangle correspond à la trajectoire du MSI/AN, qui passe d'une revendication de l'héritage fasciste à la reconnaissance des normes démocratiques et des règles politiques y correspondant. Le zigzag représente évidemment la trajectoire de la Ligue du nord et ses angles correspondent à sa brève participation au gouvernement Berlusconi I, à l'aventure séparatiste de la seconde moitié des années 1990, puis à la réintégration de la coalition de centre droit et à la participation au gouvernement Berlusconi II.

Supputer ce que l'avenir réserve à ces forces politiques constitue évidemment un exercice hasardeux. Une façon raisonnable d'y procéder consiste, dans la continuité des analyses présentées plus haut, à identifier les facteurs relevant du système politique, de la dynamique des partis et de l'initiative des entrepreneurs politiques. Dans le cas de la France, on doit reconnaître (avec P. Perrineau) l'enracinement indéniable auquel est parvenu le FN en quelque deux décennies[4], mais on doit admettre du même coup (avec P. Martin) que l'émergence du parti d'extrême droite n'a pas fondamentalement restructuré le système partisan[5]. On peut penser en outre que la réduction du mandat présidentiel à cinq

---

4. Voir son plus récent état de la question : Pascal PERRINEAU, « Le vote d'extrême droite en France : adhésion ou protestation ? », *Futuribles*, n° 276, juin 2002, p. 5-20.

5. Pierre MARTIN, *Comprendre les évolutions électorales. La théorie des réalignements revisitée*, Paris, Presse de Sciences Po, 2000.

ans aura sans doute un effet structurel majeur : elle devrait rendre pour ainsi dire impossible la cohabitation d'un président et d'une majorité parlementaire d'orientations politiques opposées se neutralisant mutuellement et donc ouvrir une ère d'alternance complète entre des présidents/majorités de même couleur. Or, la cohabitation, on l'a vu, alimentait l'extrême droite, en ce qu'elle empêchait la droite comme la gauche modérées de gouverner conformément à leur programme respectif et semblait justifier la prétention du FN à incarner la « vraie droite[6] ». La victoire de la droite modérée aux élections présidentielles et législatives de 1982 a par ailleurs imprimé au système de partis une dynamique unificatrice (au moins à droite avec la création de l'Union pour la majorité présidentielle [UMP] qui a succédé au RPR et accentué le statut minoritaire de l'UDF au sein de la coalition ; mais le Parti socialiste apparaît également de son côté du spectre comme un parti de gouvernement, ce qui n'est évidemment pas le cas des autres forces de gauche). Dans ces circonstances, le gouvernement français est en mesure de faire des choix et de mener une politique (par exemple en ce qui concerne le contrôle de l'immigration, la répression de la délinquance ou encore la réforme des retraites) qui lui auraient été interdits dans un contexte de cohabitation. Ces conditions sont pour ainsi dire le contraire de celles qui avaient permis l'émergence et la consolidation électorales du FN au cours des années 1980 et 1990. Le retour de la droite modérée au pouvoir, qui s'est effectué finalement sans que soit rompu l'isolement du FN, ne pourra qu'accentuer l'« involution » qui caractérise ce dernier depuis la scission de 1999. La décision récente de Jean-Marie Le Pen d'imposer la présence de sa fille Marine au sein du

6. Je remercie Marc Chevrier d'avoir insisté sur l'importance de cet élément.

Bureau politique et au poste de vice-présidente, contre la volonté exprimée des délégués du parti lors du congrès d'avril 2003, témoigne du caractère de plus en plus « clanique », fermé sur soi, que prend le parti depuis la scission.

En Autriche, l'un des effets de l'expérience récente pourrait être d'inaugurer un cycle d'alternance entre gouvernements de « petite coalition » pour lesquels ÖVP et FPÖ d'une part, SPÖ et Verts de l'autre apparaissent comme des partenaires naturels. La participation du FPÖ au gouvernement Schüssel de 1999-2002 a exacerbé les contradictions au sein du parti et réduit considérablement son caractère distinctif vis-à-vis de l'ÖVP, comme en témoigne la baisse de ses appuis lors de toutes les élections provinciales tenues depuis son accession au gouvernement, sauf celles de Carinthie. La résilience inattendue dont a fait preuve Haider dans son fief, au terme d'une campagne d'où les accents les plus stridents de son discours habituel ont été absents, limite certes l'étendue de la débâcle. Mais il serait surprenant que le FPÖ puisse à nouveau prétendre supplanter l'ÖVP ; débarrassé de ses éléments et de ses aspects les plus tranchants, il devra sans doute se contenter du statut d'appoint des conservateurs. En Autriche comme en France, le retour en force de la droite modérée ne peut être que de mauvais augure pour l'extrême droite.

La situation italienne est, comme toujours, plus complexe. D'abord, la « transition » qui devait mener à la « Seconde République » n'est toujours pas complétée. Un projet de « dévolution », impulsé par les revendications de la Ligue du Nord, a été mis en marche, mais ses effets ne sont pas encore connus. La réforme institutionnelle et celle du mode de scrutin pour les élections nationales demeurent de vifs objets de débat, mais la durée même de ce débat laisse planer des doutes sur son éventuelle conclusion. La cohésion de la coalition de centre droit portée au pouvoir en 2001 semble par ailleurs rudement mise à l'épreuve. Non seulement le gouvernement Berlusconi suscite-t-il une vive opposition quant à ses projets politiques, ce qui est tout à fait normal, mais, en raison des conflits d'intérêts et des démêlés judiciaires au centre desquels se retrouve le président du Conseil, sa légitimité même est mise en cause par de larges secteurs de l'opinion, ce qui ne manque pas de rejaillir sur ses partenaires. La Ligue du Nord, qui a négocié chèrement son ralliement et jouit au sein du gouvernement d'un poids supérieur à sa force électorale réelle, se révèle encore une fois un allié embarrassant et peu fiable. L'Alliance nationale, qui a dû remiser son « nationalisme » au profit du « fédéralisme » et se réconcilier avec le libéralisme économique, a de son côté essuyé plus que sa part du mécontentement à l'endroit de la coalition lors des élections administratives de 2003, nettement gagnées par la gauche. Des trois principaux partis de la coalition, celle-ci demeure toutefois la formation politique dont l'organisation est la plus ancienne et sans doute la plus ramifiée ; elle est aussi, comme l'ont démontré sa récente prise de position en faveur de l'octroi aux immigrés du droit de vote aux élections municipales et sa rupture désormais très nette par rapport au passé fasciste, la plus capable de se renouveler[7]. L'AN peut toujours prétendre, dans l'hypothèse d'un départ de Berlusconi et d'une poursuite du déclin électoral de la Ligue, devenir le noyau d'une nouvelle majorité de droite.

---

7. Voir les articles du *Secolo d'Italia* du 8 octobre 2003, « Fini : Here's the Pact with the Immigrants », et du 2 décembre 2003, « Fini : No Going Back », traduits sur la page d'AN International : http://www.alleanzanazionale.it/portale/international.pl?iid=92507 et http://www.alleanzanazionale.it/portale/international.pl?iid=92948 (pages consultées le 12 mars 2004).

Table des matières

Québec, Canada
2004